KB218935

bkjn magazine

《비케이제이엔 매거진》은 북저널리즘이 만드는
종이 뉴스 잡지입니다. 테크와 컬처, 국제 정치를
새로운 시각으로 이야기합니다.

사법 불신의 시대

목차

정기 주주 총회를 마치자 열이 올랐습니다. 그날은 초저녁부터 누워 끙끙대다가 내리 열한 시간을 잤습니다. 엔비디아 같은 회사의 주총은 축제 분위기이겠지만, 저희처럼 전년도 실적이 좋지 않은 회사의 주총은 졸업식 다음 날의 교실같이 가만합니다. 대표 이사는 주주들 볼 면목이 없고, 주주들은 대표를 혼내러 왔다가 위로하고 돌아갑니다.

텍스트 기반의 지식 콘텐츠 업계는 요새 분위기가 뒤숭숭합니다. 작년에는 업계의 주요 플레이어들이 사업을 정리하기도 했죠. 텍스트의 시대가 저문 건 아닌지 걱정하며 5년 후 회사가 어떤 모습일지 질문한 주주가 있었습니다. 시장 전망이나 회사 비전을 묻는 말이었을 텐데, 어째서인지 저는 이렇게 답했습니다. "저희는 이 일을 계속하고 있을 겁니다."

책, 잡지, 신문 같은 소위 사양 산업에서 회사를 차리고 햇수로 12년째 일하고 있습니다. 몇 해 전에 종이 뉴스 잡지를 창간하겠다고 하니까 가까운 선배가 그러더군요. 종이는 한물갔다, 텍스트도 한물갔다, 잡지도 한물갔다, 그 세 개를 결합했으니 세 배 빨리 한물가겠구나. 저는 ─ 속으로 선배만 아니면 참 좋았겠다고 생각하며 ─ 동의하지 않았습니다.

저는 여러분이 읽고 있는 종이 뉴스 잡지가 지금
사회에 필요하다고 믿습니다. 먼저, 종이입니다. 긴 글을 읽을
때만 얻을 수 있는 사유가 있습니다. 토막글을 읽으면 정보를
습득할 수 있지만, 긴 글을 읽으면 구조적 사고를 하게 되고
통찰을 얻을 수 있습니다. 그런데 스크린에서는 긴 글을 깊이
읽기 어렵습니다. 독자를 끊임없이 반응하게 하니까요.

다음은 뉴스입니다. 세상에 정보는 너무 많고 맥락은
너무 적습니다. 똑똑한 사람들이 중요한 이슈를 따라잡기가
점점 어려워지고 있습니다. 파편화된 기사들이 불연속적으로
소비되면서 뉴스는 어렵고 따분한 것이 되었습니다.
그래서 저희 팀은 내러티브가 있는 맥락과 해설을 기사에
담기로 했습니다. 지루하면 참여할 수 없고, 참여하지 않는
저널리즘은 무의미하기 때문입니다.

마지막으로 잡지입니다. 잡지에는 내가 절대로 먼저
찾아서 읽지는 않을 이야기가 있습니다. 내가 좋아할 만한
이야기만 추천하는 소셜 미디어와 정반대에 있는 매체입니다.
잡지에는 내가 좋아하고 잘 아는 것도 있고, 관심이 없었거나
모르는 것도 담겨 있습니다. 우리는 잡지를 읽으며 공감의
넓이를 키울 수 있습니다.

종이 뉴스 잡지의 장점에 하나를 더 추가하고 싶습니다. 잡지는 취향과 관점의 커뮤니티이기도 합니다. 《이코노미스트》를 읽는 사람과 《모노클》을 읽는 사람과 《시사IN》을 읽는 사람은 옷 입는 것부터 생각하는 것까지 꽤 다를 겁니다. 잡지는 그 잡지를 만드는 사람의 취향에 공감하고 관점을 지지하는 사람들이 모이는 커뮤니티입니다.

저희 팀은 지적이고 품위와 위트가 있는 저널리즘 콘텐츠와 커뮤니티가 한국 사회에 필요하다고 믿습니다. 전통적인 육하원칙이 아니라 고유한 관점과 맥락을 제시하며 '왜'라는 질문을 던지는 매체가 필요하다고 믿습니다. 이 취지를 지키면서도 사업적으로 성공할 수 있다는 걸 업계에 증명하고 싶습니다. 그래야 취지를 공유하는 매체가 더 등장할 수 있습니다.

5년 후에도 "이 일을 계속하고 있을" 것이라는 말은 예측이나 바람이라기보다 믿음에 가깝습니다. 예측은 어긋날 수 있고 바람은 이루어지지 않을 수 있지만, 믿음은 좀처럼 실패하지 않습니다. 예측과 바람은 실현 여부가 성패를 결정합니다. 하지만 믿음은 외부에 기대지 않습니다. 결과나 조건에 얽매이지 않는 결단이자, 불확실성에 몸을 던지는 도약(leap of faith)입니다.

저는 종이 뉴스 잡지만 줄 수 있는 가치를 여전히 믿습니다. 디지털이 모든 걸 삼켜 버린 지금, 디지털 네이티브에게 잘 만든 프린트 제품은 시대를 역행하는 게 아니라 혁신하는 것입니다. 어쩌면 '새로운 올드미디어(the new old media)'가 나타날 수도 있습니다. 주총에서 왜 엉뚱한 대답을 했을까 생각하다가 저희 팀이 이 일을 왜 하는지 새삼 깨닫습니다. 이번 호부터 분량을 늘리고 구성도 손봤습니다. 뉴스를 다시, 종이로 읽는 기쁨을 느껴 보시길 바랍니다.

이번 호에선 커버스토리로 사법 불신의 시대를 다루었습니다. 지금 이 글은 대통령 탄핵 심판 선고가 나기 사흘 전에 쓰였습니다. 어떤 결과가 나오든 정치, 경제, 사회, 문화 전반에 극심한 혼란이 예상됩니다. 탄핵 심판 이후를 누군가는 말하고 준비해야 합니다. 저는 그게 독자님을 포함한 《비케이제이엔 매거진》 커뮤니티였으면 합니다. 《비케이제이엔 매거진》은 이번 호부터 격월로 발행됩니다. 6월에는 새로운 올드미디어에 더 가까워진 모습으로 다시 찾아뵙겠습니다. 지금까지 이 종이 뉴스 잡지의 발행인 이연대였습니다.

테크와 컬처, 국제 정치를
새로운 시각으로
이야기합니다.

법관의 생각이 곧 법입니다.

그런데 이 생각이 과거와는 달리

예측할 수 없을 정도로 다양해지고 있습니다.

"판사들이 법조인의 양심을 가지고 재판하는 게 아니라 자기들 정치 성향에 맞춰 재판했다고밖에 볼 수 없다."

권성동 국민의힘 원내대표가 3월 26일 백브리핑에서 기자들에게 한 말입니다. 이재명 민주당 대표의 공직선거법 위반 사건 항소심 결과가 나온 날이었죠. 서울고법은 징역 1년에 집행 유예 2년을 선고한 1심 판단을 뒤집고 이 대표에게 무죄를 선고했습니다. 권 원내대표는 쉽게 말해 재판부가 좌파라 이 대표가 무죄를 받았다고 한 겁니다. 재판 결과가 바뀌었다면 이 대표 역시 비슷한 말을 했을 겁니다. 이 대표는 지난해 11월 열린 1심에서 징역형이 나오자 "도저히 수긍하기 어려운 결론"이라고 했으니까요.

정치권만 사법부를 불신하는 건 아닙니다. 아이돌도 판사를 믿지 않습니다. 최근 뉴진스는 법원이 어도어의 가처분 신청을 인용하자 법원 판단이 실망스럽다며 "한국이 우리를 혁명가로 만들고 싶어 하는 것 같다"고 했죠. 법원 결정에도 멤버들은 3월 23일 밤 홍콩에서 뉴진스가 아닌 다른 이름으로 공연을 강행했습니다. 팬들은 이들이 새로 정한 팀명 NJZ를 외쳤죠.

사법 불신의 결정판이 곧 다가옵니다. 대통령 탄핵 심판입니다. 광화문에서 소리치는 사람과 경복궁에서 치를 떠는 사람은 각자 답을 미리 정해 놨습니다. 안국에서 원하는 답을 듣지 못하는 쪽은 '사법 테러'를 운운하며 불복할 겁니다. 이번엔 법원 기물 파손보다 더 나갈 수도 있습니다. 그야말로 내란이 일어날지 모릅니다.

갈등을 종식해야 할 사법부는 어쩌다 갈등을 키우는 조직이 됐을까요. 사법 불신이 하루아침에 생긴 일은 아니지만, 최근 10년 사이 크게 심화했습니다. 재판 결과에 대한 불만으로 전국 법원에 접수된 민원 건수가 10년 전만 해도 한 해에 1000건 수준이었습니다. 지금은 2만 건이 넘습니다. 저 숫자로만 보자면 10년 사이에 사법 불신이 20배 심해진 거죠.

국민 10명 중 7명이 법원을 신뢰하지 않는다는 여론 조사 결과도 있습니다. 사법 불신의 가장 큰 이유는 판결의 일관성 결여입니다. 같은 잘못을 저질러도 판사를 잘 만나면 형을 적게 받거나 심지어 무죄가 나오고, 잘못 걸리면 중형을 받습니다.

소시지 몇 개를 훔쳐 징역 1년을 받은 사람이 있는가 하면, 회삿돈 수백억 원을 빼돌리고도 집행 유예를 받은 사람이 있습니다. 이러니 법원을 신뢰하지 않습니다. 재판에서 져도 운 나쁘게 판사 잘못 걸렸다고 생각하지,

잘못했다고 생각하지 않습니다. 오죽하면 '판사 쇼핑'이라는 말까지 나왔습니다.

공정하다는 착각

법관은 법에 따라 판단하는데, 왜 판결의 일관성이 떨어질까요? 많은 사람이 의아해합니다. 그런데 이 질문은 전제부터 잘못됐습니다. 법관은 법에 따라 판단하지 않습니다. 법률은 일반적이고 추상적인 규율입니다. 제가 식당에서 밥을 먹다가 옆자리에 앉은 사람의 어깨를 툭 밀친 것이 위법인지 아닌지는 법전에 나와 있지 않습니다. 판사가 폭행죄라고 하면 폭행죄가 됩니다.

재판을 좌우하는 건 법관의 법령 해석보다 사실 관계의 확정입니다. 어떤 증거를 사실로 인정할 것인지가 관건인데, 좀 거칠게 말하자면 판사 마음입니다. 예컨대 이재명 대표의 공직선거법 위반 사건에서 이 대표가 백현동 부지 용도 변경 과정에서 국토부의 협박이 있었다고 말한 것을 1심은 허위 사실 공표로 봤지만, 2심은 '의견 표명'에 해당해 처벌할 수 없다고 했습니다.

정리하면, 법관의 생각이 곧 법입니다. 그런데 이

생각이 과거와는 달리 예측할 수 없을 정도로 다양해지고 있습니다. 1980년 판사 정원은 624명이었습니다. 경기고 나와서 서울 법대 들어가고, 소년 급제해 사법연수원에 들어간 사람들입니다. 집안 형편과 성장 환경, 사회 경력이 거의 같으니, 생각하는 것도 거기서 거기입니다. TV 채널도 KBS와 MBC, 두 곳만 있던 시절입니다. 보는 것도 거기서 거기입니다. 판결 스펙트럼이 좁을 수밖에 없었죠.

지금 판사 정원은 3214명입니다. 인구가 1.3배 증가하는 동안, 판사 수는 5배 증가했습니다. 그사이 사법시험은 사라졌고 로스쿨이 생겼습니다. 판사가 되는 경로도 다양해졌고요. 미디어 환경은 천지개벽 수준으로 달라졌죠. 대통령도 유튜브에 빠져 사는 시대인데, 판사라고 다를까요. 법관들 사이의 생각 차이가 점점 벌어질 수밖에 없는 구조입니다. 그 결과, 오락가락하는 판결이 나오면서 사법 불신을 키우고 있고요.

정치인 재판은 여기에 정치적 이념까지 더해집니다. 대법관과 헌법재판관의 임명 과정이 정치화되면서, 판결이 특정 정당이나 이념적 이해관계에 따라 내려진다는 인식이 강해졌습니다. 지금 정치권에서 마은혁 헌법재판관 후보자를 임명해야 한다, 말아야 한다, 공방하는 것도 결국 여야 모두

'마은혁은 민주당 편'이라고 생각하기 때문이죠.

두 번의 대통령 탄핵 심판을 겪으면서 보수와 진보 진영은 이제 한 테이블에 앉기도 힘든 사이가 됐습니다. 말이 통하지 않으니 문제가 생기면 법정으로 가져가는 정치의 사법화가 가속했고, 결국 사법의 정치화로 이어지고 있습니다. 시민들은 이제 판사를 독립된 법률가보다는 정치적 행위자로 인식하게 되었습니다. 그러니 져도 승복할 수가 없습니다.

탄핵 심판이 길어지는 것도 문제지만, 저는 탄핵 심판 이후가 더 걱정입니다. 한쪽은 반드시 집니다. 그리고 그 한쪽은 헌법재판관의 정치 편향을 문제 삼아 결과에 불복할 겁니다. 뉴진스가 혁명가가 되면 하이브가 고생이지만, 이들이 혁명가가 되면 대한민국이 고생입니다. 사실상 내전 수준까지 나라가 쪼개질 수도 있습니다.

지금 거의 모든 언론이 탄핵 심판 결정 후 불복 사태를 예견하면서도, 해법은 제시하지 않고 있습니다. 관전자 또는 정치 평론가 역할에 그치고 있습니다. 이러다 정말 나라가 두 쪽이라도 나면 '그거 봐라. 우리가 뭐라고 했나'라고 할 기세입니다.

회복적 정의

지금부터라도 해법을 모색해야 합니다. 누가 이기든, 국론을 통합하고 치유하는 회복적 정의가 필요합니다. 결국 같이 살아야 하기 때문입니다. 저는 요즘 튀니지 사례를 주목하고 있습니다.

2011년 튀니지에선 재스민 혁명이 일어나 독재자를 끌어내렸습니다. 이후 역사상 첫 민주 정부가 들어섰지만, 민주주의 제도 운영이 처음이다 보니 정치 불안이 극에 달했습니다. 2013년에는 야당 정치인이 암살당하는 일까지 벌어졌죠. 이슬람주의 정당과 세속주의 정당 사이의 갈등이 깊어져 내전 위기에 직면합니다.

행정부와 사법부는 국민 신뢰를 잃어 사태를 수습할 동력이 없었습니다. 이대로 가다간 나라가 쪼개질 판이었습니다. 이때 시민 사회와 원로 그룹이 나섭니다. 노동연맹, 산업연맹, 인권연맹, 변호사연맹이 연합해 국민 4자 대화 기구를 결성한 겁니다. 이들은 공식 정부 기구가 아닌 민간 기구였습니다. 별도 사무실도 없었죠. 법적 강제력 역시 당연히 없었고요.

이들은 이슬람주의 정당, 세속주의 정당 등 모든 정치

세력이 참여할 수 있는 대화 기구를 만들었습니다. 이들은 정치권의 중립적 조정자 역할을 자처했습니다. 그때까지 주요 정당들은 ― 지금 국민의힘과 민주당처럼 ― 서로를 테러 단체라 부를 정도로 증오했는데, 4자 대화 기구가 주관하는 자리라면 일단 협상에 참여했습니다. 튀니지 국민 대다수가 혼란 극복을 위해선 이들의 중재가 필요하다는 정서를 공유하고 있었기 때문입니다.

결국 4자 대화 기구와 각 정파는 양보와 협상을 거듭하며 정부 운영 방식과 권력 구조를 개편하고, 헌법까지 개정하는 데 성공합니다. 2014년에는 총선과 대선을 치러 정권의 정당성과 국민 신뢰를 회복하는 계기를 만듭니다. 4자 대화 기구는 튀니지를 평화적 대화로 구해낸 공로를 인정받아 2015년 노벨 평화상을 받습니다.

아랍의 봄 이후 튀니지가 겪은 혼란은 오는 4월 한국에서 재현될 가능성이 큽니다. 법적 절차가 끝나도 사법을 믿지 못하니 사건은 종결되지 않습니다. 양극화된 정치는 혼란을 수습할 힘도 자격도 없고요.

그래서 저는 공론화 기구를 제안합니다. 과거에도 공론화위원회를 일부 시도한 적이 있지만, 탈원전 같은 특정 사안에 관한 것이었습니다. 이번에는 국론 통합을 위한

기구가 필요합니다. 시민 사회, 종교계, 학계 원로 등 국민의
폭넓은 신뢰를 받는 사람들이 모여 공론화 기구를 꾸려야
합니다. 이들이 사회적 권위와 공정성을 바탕으로 갈등
당사자들을 대화 테이블로 끌어내야 합니다.

　　　　갈등 당사자가 모두 모인 자리에서 공개적으로
대화를 통해 사실 관계를 확인하고, 합의와 화해를 모색해야
합니다. 이 기구의 활동이 단순 권고 수준에서 끝나지 않도록
국회와 정부가 일정 부분 수용할 의무를 부여하거나, 향후
개헌이나 법 개정 논의에 반영될 수 있도록 설계해야 합니다.

　　　　이 합의가 있어야 내란 수괴와 계몽령 사이의 바다를
건널 수 있습니다.

교황과 정치인에게는
공통점이 있습니다.

대권 잠룡들의 출판 정치가 시작됐습니다. 유력 후보가 없는 보수 진영의 주자들이 출발을 끊었습니다. 한동훈 전 국민의힘 대표는 2월 26일 저서《국민이 먼저입니다》를 냈는데, 예약 판매 기간에 교보문고 베스트셀러 1위에 올랐습니다. 책이 서점에 깔리기도 전에 4만 권이 팔렸다는 보도도 있었죠.

오세훈 서울시장도 책을 냈습니다.《다시 성장이다》입니다. 3월 14일 예약 판매를 개시했는데, 이 책 역시 주요 서점 베스트셀러 상위권을 차지했습니다. 홍준표 대구시장도 책《꿈은 이루어진다》출간을 준비하고 있습니다. 대통령 탄핵 심판이 인용되면 여야 대권 주자의 책이 두어 권은 더 나올 겁니다.

좌: 한동훈의《국민이 먼저입니다》, 우: 오세훈의《다시 성장이다》

교황과 정치인의 공통점

출마를 앞두고 발행되는 정치인의 책에는 공통점이
있습니다. 책 표지에 본인 사진이 큼지막하게 들어간다는
겁니다. 일반적으로 작가 사진은 책 띠지에 넣습니다. 띠지는
광고판이나 다름없으니까요. 얼굴이 알려진 작가라면
유명세를 활용해야죠. 하지만 표지에는 거의 넣지 않습니다.
전기나 평전이 아닌데도 표지에까지 얼굴 사진을 넣을 때는
둘 중 하나입니다. 저자가 교황이거나, 정치인이거나.

좌: 오바마의 《The Audacity of Hope》, 우: 메르켈의 《Freedom》

　　　정치인의 나르시시즘은 한국적 현상이 아닙니다.
버락 오바마와 앙겔라 메르켈도 저서 표지에 자기 얼굴을

크게 넣었습니다. 정치인은 얼굴 자체가 브랜드이기 때문입니다. 정치인은 유권자에게 자신의 이미지를 ─ 그것도 가장 잘 나온 프사를 ─ 각인하고 싶어 하고, 출판사는 그의 팬덤에 어필해 책을 팔아야 하니, 정치인 책에는 얼굴 사진이 빠질 수가 없습니다.

그런데 저는 이 문법도 이제 바뀌어야 할 때가 아닌가 생각합니다. 볼거리가 방송 3사 TV와 신문, 책밖에 없었을 때는 표지에 얼굴 사진을 싣는 게 정치적으로 확실히 유리했겠죠. 그런데 요즘처럼 즐길 거리와 디스플레이가 넘쳐나는 시대에 이 전략이 여전히 유효할까요? 성인 두 명 중 한 명은 1년에 책을 한 권도 읽지 않는 시대인데 말입니다. 얼굴을 알리려면 책을 쓰기보다는 삼프로TV에 나가는 게 시간 투자 대비 효율 면에서 훨씬 낫습니다.

좋은 표지의 조건

다른 책을 한번 볼까요? 일본의 디자인 거장 하라 켄야는 《백》에서 '비어 있음(emptiness)'의 철학을 이야기합니다. 표지 디자인은 말 그대로 '백'입니다. 파타고니아 창업자 이본 쉬나드는 《파타고니아, 파도가 칠 때는 서핑을》에서 파도가

칠 때는 직원들이 사무실을 박차고 나가 서핑을 할 수 있어야
한다고 말합니다. 표지에선 파도치는 바다를 보여 줍니다. 두
책은 다 읽고 나서 다시 표지를 보면 뭉클해지기까지 하죠.
좋은 책 표지는 책의 핵심 메시지를 담고 있습니다.

좌: 하라 켄야의 《백》, 우: 이본 쉬나드의 《파타고니아, 파도가 칠 때는 서핑을》

그런데 한동훈 전 대표와 오세훈 서울시장의 책은
— 앞으로 더 나올 대선 주자의 책 역시 그럴 겁니다. — 곧고
단정한 자세의 본인 사진을 전면에 내세웁니다. 사진이 남겨
준 자리에는 우아하고 익숙한 서체로 제목과 저자 이름을
적습니다. 품격은 있지만, 내용이 없습니다. 표지만 봐서는
책에 담긴 핵심 메시지를 알 수 없습니다. 선거 포스터처럼
멀끔할 뿐입니다.

책은 책의 역할을 해야 합니다. 영상과 이미지가 할 수 없는 걸 해야 다른 매체를 이길 수 있습니다. 책에서 저자는 방해받지 않고 자신의 정치적 메시지를 원하는 만큼 전달할 수 있습니다. 그렇다면 저자의 얼굴이 아니라 저자가 지향하는 가치와 메시지를 강화하는 표지 디자인이 더 적합할 수 있습니다. 심벌, 타이포그래피 같은 그래픽 요소를 활용하는 거죠.

제가 기억하는 가장 인상적인 정치인 책 표지는 《혁명(Révolution)》입니다. 에마뉘엘 마크롱 프랑스 대통령이 2017년 대선을 앞두고 펴낸 책입니다. 프랑스의 미래에 대한 비전을 담았는데, 책 표지에 인물 사진 없이 저자 이름과 제목만 간결하게 적었습니다. 제목 하단에는 "이것은 프랑스를 위한 우리들의 투쟁이다"라고 썼죠.

마크롱의 《혁명(Révolution)》

당시 정치 신인이었던 마크롱은 프랑스 국민을 향해 말했습니다. "나는 좌파도 우파도 아니다. 기존 정치에 맞서 민주 혁명을 일으키겠다. 이것은 프랑스를 위한 우리들의 투쟁이다." 책 표지 디자인은 핵심 메시지에 꼭 들어맞습니다. 인물 사진 중심의 기존 문법을 파괴했으니까요. 그야말로 '혁명'이었습니다. 마크롱은 기존 정치인과 확실히 구분되는 메시지를 시각적으로 전달하는 데 성공했죠.

이 책은 여러모로 영리했습니다. 앞표지에선 출판계의 관행을 깼지만, 뒤표지에는 클로즈업한 마크롱 얼굴 사진을 꽉 차게 넣었거든요. 정치적 메시지 전달과 인지도·매력도 상승, 상업적 성공을 모두 고려해 적절한 균형점을 찾은 것 같습니다.

한동훈 전 대표 책은 '국민이 먼저'라고 하지만 표지만 보면 한 전 대표가 먼저입니다. 오세훈 서울시장 책은 앞표지, 뒤표지에 오 시장 사진을 넣었습니다. '다시 성장'이라고 하지만 표지만 보면 오 시장 화보집입니다. 이래서는 팬덤층을 제외하고는 선뜻 집어 들기가 어렵습니다. 저는 핵심 메시지를 잘 드러낸 표지라면, 평소 관심이 없던 정치인이라도 그 사람의 생각을 더 알아보고 싶을 것 같은데, 여러분은 어떠신가요?

한동훈 전 대표와 오세훈 서울시장의 책이 잘 팔려서 이런 얘기를 하는 건 아닙니다. — 물론 몹시 부럽습니다. — 아까 말씀드렸듯 한국적 현상만도 아니고요. 그러나 정치는 미래를 제시하는 일입니다. 책 표지에도 그 미래 비전이 조금은 담겼으면 합니다. 얼굴 말고 철학과 사상을 보고 싶습니다. 미적 취향과 안목도 궁금하고요.

미국과 러시아가 밀착하고 있습니다.

80년간 이어져 온 세계 질서가

붕괴하고 있습니다.

도널드 트럼프 미국 대통령은 2월 28일 젤렌스키 우크라이나 대통령과 정상 회담을 가진 자리에서 "당신은 카드가 없다"는 말을 여섯 번이나 반복했습니다. 동석했던 부통령 밴스는 젤렌스키에게 "무례하다"며 면박을 줬습니다. 예정된 공동 회견이 취소되면서 젤렌스키는 쫓겨나듯 백악관을 떠났습니다.

설전을 벌이는 트럼프와 젤렌스키 / 사진: 텔레그래프 유튜브

세계 각국 언론은 파국으로 끝난 정상 회담을 보도하면서 주로 우크라이나 홀대를 지적했습니다. 두 정상의 공개 설전이 워낙 파격적이었으니까요. 그런데 우크라이나 홀대는 달리 말하면 러시아 우대입니다. 실제로 트럼프는 회담 자리에서 우방국 우크라이나를 침략한 러시아를 두둔하는 발언을 했죠.

여기서 우리는 지난 80년간 상상조차 하지 않았던 질문을 던져야 합니다. 미국이 편을 바꾸면 어떤 일이 벌어질까요?

흔들리는 나토와 NPT

트럼프의 미국은 러시아와 밀착하고 있습니다. 2차 세계 대전 이후 두 나라는 냉전을 벌이며 한 번도 가까웠던 적이 없습니다. 미국은 지금 최대 위협인 중국과는 가까웠던 시절이 있었습니다. 닉슨 대통령 때 키신저 국무장관은 소련을 압박하기 위해 중국을 포용하는 전략을 썼죠. 지금 미국은 역(逆)키신저 전략에 나서고 있습니다. 중국을 압박하기 위해 러시아를 포용하는 전략입니다.

트럼프의 러시아 피벗(pivot)은 미국이 80년간 구축한 세계 질서의 두 축을 위협합니다. 북대서양조약기구(NATO)와 핵확산금지조약(NPT)입니다. 냉전 초기에 동유럽 국가들이 도미노처럼 공산화되자, 1949년 미국과 영국 등 서방 국가는 공산권에 맞서는 집단 방위 체제를 만듭니다. 나토입니다. 미국은 유럽의 나토 회원국이 적국의 공격을 받으면 미국이 핵무기를 써서라도 방어할 것이라고 보장했죠.

나토 체제 아래에서 이론상 유럽 국가들은 핵무기를 가질 필요가 없었습니다. 그러나 국제 사회가 어디 신뢰로만 작동하나요. 돈도 있고 기술력도 있던 영국과 프랑스는 미국의 안보 보장에도 불구하고 독자 핵무장에 나섭니다. 당시 케네디 미국 대통령이 드골 프랑스 대통령에게 핵 개발 중단을 요구하자, 드골이 이렇게 물었다죠. "파리를 위해 뉴욕을 희생할 수 있나?" 미국의 약속만으로는 부족하다는 겁니다.

결국 미국은 핵 도미노를 막기 위해 1968년에 또 하나의 프레임워크를 만듭니다. NPT입니다. 이 조약이 만들어지기 전에 핵실험을 한 미국, 소련, 영국, 프랑스, 중국은 핵무기를 보유할 수 있지만, 그 외 국가에는 핵무기 제조를 금지하는 내용입니다. 이 조약의 핵심은 핵보유국들은 핵무기 감축을 논의할 테니, 비보유국들이 핵무기를 개발하지 않기로 하면 결국 집단적 비핵 안보가 달성된다는 겁니다.

그런데 미국이 80년간 공들여 구축한 나토와 NPT, 두 틀이 붕괴하기 직전입니다. 트럼프 때문이죠. 유럽에서는 이미 미국이 없는 나토를 대비하고 있습니다. 독일 차기 총리가 유력한 메르츠는 "안보 체계를 개편해 미국으로부터

독립"해야 한다고 말합니다. 유럽의 핵보유국인 프랑스,
영국과 핵을 공유해야 한다는 거죠. 마크롱 프랑스 대통령도
유럽 자체 핵우산 구축을 주장합니다. 트럼프의 미국이
국방비 부담을 이유로 나토를 이탈할 조짐을 보이니,
프랑스의 핵 억지력을 유럽 전체로 확장하겠다는 겁니다.

그런데 프랑스와 영국의 핵우산이 미국의
핵우산만큼 든든할까요? 러시아는 세계에서 가장 많은
핵무기를 갖고 있습니다. 5889기입니다. 그다음으로
많은 나라가 미국(5244기)입니다. 그 뒤를 중국(410기),
프랑스(290기), 영국(225기)이 따릅니다. 일단 숫자에서부터
현격한 차이가 납니다. 게다가 만약 마린 르펜이 차기
프랑스 대통령이 된다면 "프랑스의 핵은 프랑스의 것"이라고
말하겠죠.

푸틴이 우크라이나에서 승리한다면 다음 타깃은
폴란드, 몰도바, 에스토니아, 라트비아, 리투아니아가 될
가능성이 높습니다. 프랑스와 영국이 주도하는 유럽 핵우산은
러시아의 확장 억제에 도움이 되긴 할 겁니다. 그러나 미국이
제공하던 것만큼은 아니죠. 게다가 유럽 국가들이 프랑스,
영국의 핵 공유를 믿을지도 의문입니다. 워싱턴은 믿을
수 없는데, 파리와 런던을 믿을 수 있는 합리적인 이유가

있을까요?

결국 핵보유국의 위협을 받는 나라들은 핵 개발에
나설 수 있습니다. 가장 먼저 움직일 나라는 우크라이나,
폴란드를 포함한 동유럽 국가들일 겁니다. 독일에선 이미
원내 2당 '독일을 위한 대안(AfD)'이 자체 핵무장을 주장하고
있죠. 다음 주자는 중국의 위협을 받는 대만이 될 겁니다.
그다음은 북핵을 이고 있는 한국이 될 수 있고요. 한국이
핵무장을 한다면 아마 일본이 뒤를 따르겠죠. 다음은
호주입니다.

핵 확산을 막아 온 심리적 장벽

NPT를 탈퇴하면 국제 사회에서 왕따가 되는 건 바이든
때까지 통하던 얘기입니다. 트럼프는 모든 걸 거래의
대상으로 삼으니까요. 게다가 트럼프의 안보 책사인 엘브리지
콜비 미국 국방부 정책 차관 후보자는 핵 비확산보다
지정학을 중시합니다. 콜비는 지난해 국내 언론과 가진
인터뷰에서 이런 말을 했습니다.

"한국이 핵무장을 하지 않는 대안을 훨씬
선호하지만, 모든 선택지를 테이블에 올려놓을 필요는 있다.

한국의 핵무장을 배제하지는 않는다. 지정학이 핵 비확산보다 중요하다. 우리의 적이 핵무기를 가지는데, 우리가 동맹의 핵무장을 막는다면 그게 비확산 정책의 승리인가? (…) 미국이 북한을 해결하기 위해 미국 도시 여러 개를 잃는 것은 합리적이지 않다."

콜비는 드골의 말을 그대로 가져다 썼습니다. 트럼프와 푸틴이 사실상의 동맹을 맺으면 80년간 구축된 세계 질서가 붕괴할 수 있습니다. 미국이 편을 바꾸면 우크라이나가 패배합니다. 우크라이나가 패배하면 핵무기가 전 세계로 확산할 수 있습니다. 트럼프의 다음 카드가 무엇인지는 예측할 수 없습니다. 그러나 한 가지는 분명합니다. 핵 확산을 막아 온 심리적 장벽은 이미 무너졌습니다.

트럼프는 먼로주의를 부활시켜

서반구에서 미국의 이익을 재확인하려고 합니다.

관세는 그 일부일 뿐입니다.

도널드 트럼프 미국 대통령이 2월 4일부터 캐나다와 멕시코산 제품에 부과하기로 했던 25퍼센트 관세를 한 달 유예했습니다. 관세 부과의 명목은 미국과 국경을 맞댄 캐나다와 멕시코가 불법 이민과 마약 유입을 제대로 막지 않는다는 것이었죠. 두 나라는 국경 안보 강화를 약속해 당장 급한 불은 껐지만, 트럼프의 기준에 못 미치면 관세 위협이 재개될 수 있습니다.

트럼프는 취임하자마자 관세 위협으로 콜롬비아, 멕시코, 캐나다, 파나마 등을 강하게 압박하고 있습니다. 당장은 무역 협상이나 이민 문제로 포장되고 있지만, 그 밑바탕에는 '서반구에서의 미국 통제권 회복'이라는 먼로주의적 발상이 자리 잡고 있습니다. 다시 말해 미국의 대외 정책이 다시 200년 전으로 돌아가고 있는 것이죠.

건국 초기 미국은 고립주의 정책을 폈습니다. 영국으로부터 갓 독립했으니 다른 나라의 간섭을 받고 싶지 않은 건 당연한 일이었죠. 건국 당시 미국 인구는 250만 명 수준이었습니다. ─ 이 무렵 조선 인구가 1800만 명입니다. ─ 미국이 독립 전쟁에서 승리한 것도 사실 미국이 강해서가 아니었습니다. 프랑스의 지원이 컸고, 무엇보다 영국이 그 직전에 프랑스와 7년 전쟁을 치르느라 힘이 빠져 있었죠.

유럽은 미국 일에 — 제발 좀 — 간섭하지 말아
달라던 고립주의는 제임스 먼로 대통령 시기에 이르러
아메리카 대륙 전체로 확대됩니다. 1823년 먼로 대통령은
유럽이 아메리카 대륙에 새로운 식민지를 만들지 않고
신생 독립국에 간섭하지 않아야 하며, 미국 역시 유럽에서
일어나는 일에 개입하지 않겠다는 먼로 독트린(Monroe
Doctrine)을 선언합니다.

미국 만화가 루이스 달림플이 풍자한 먼로 독트린, 1905년

그러나 먼로 독트린은 강제할 수단이 없는
이상주의적 선언에 불과했습니다. 힘없는 나라 미국의 외교
정책을 유럽 열강이 따를 이유가 없었죠. 미국이 그러거나
말거나 스페인, 포르투갈, 러시아, 영국은 아메리카 대륙에서

영토를 계속 늘립니다. 러시아가 알래스카의 영유권을
확보했던 것도 이 무렵입니다.

19세기 중반 미국은 남북 전쟁을 끝내고 재건
시대(Reconstruction Era)를 맞습니다. 정치적, 군사적,
경제적 통합을 이루면서 국력이 폭발적으로 성장합니다.
19세기 후반이 됐을 때 지금 우리가 아는 강대국 미국이
완성됐죠. 유럽 각국이 유럽 대륙의 정치 혼란으로 식민지
건설에 힘이 빠져 있던 그 무렵부터, 미국은 자연히
시선을 밖으로 돌리게 됩니다. 시작은 미국과 인접한
중남미였습니다.

미국의 팽창적 고립주의는 이때부터 시작됩니다.
마침내 말뿐이던 먼로주의를 행동으로 옮길 수 있게 됩니다.
미국은 알래스카를 매입하고, 중미 대서양 운하 건설에 공을
들입니다. 푸에르토리코와 쿠바를 정복하고, 버진아일랜드를
매입합니다. 이 지역들은 모두 미국과 인접해 있습니다.
식민지를 찾아 대서양과 태평양을 건넌 유럽 열강과 달리
미국은 아메리카 대륙에서 자국의 이익을 확보하는 데 주력한
거죠.

2차 세계 대전 이후에도 미국의 시선은 대서양 건너
구대륙이 아닌 아메리카 대륙의 남단에 머물러 있었습니다.

칠레와 과테말라 쿠데타에 개입해 친미 독재 정권을 세우고, 쿠바의 피델 카스트로 정권을 무너뜨리기 위해 반공 게릴라의 상륙 작전을 지원합니다. 니카라과와 엘살바도르의 내전에도 개입했죠. 모두 미국의 뒷마당(backyard)에서 벌어진 일입니다.

그러나 20세 후반 들어 먼로주의는 폐기된 것처럼 보였습니다. 결정적 장면은 1978년 지미 카터가 미국이 갖고 있던 파나마 운하 운영권을 파나마에 넘긴 것이었죠. 대서양과 태평양을 연결하는 파나마 운하는 인류 역사에 기록될 공학적 성취였습니다. 동시에 미국 제국주의의 상징이기도 했습니다.

1991년 소련 붕괴로 냉전이 끝나자 미국 외교 정책의 엘리트들은 국제 사회에서 미국의 오점으로 지적되는 중남미 개입을 줄이기로 합니다. 그러고는 눈을 돌린 곳이 중동과 아시아·태평양입니다. 이라크와 아프가니스탄에서 전쟁을 벌였고, 이슬람 테러 조직과도 싸웠습니다.

그러는 사이 중남미 국가들은 독재에서 벗어나 민주 정권을 수립했지만, 정치 혼란은 여전했습니다. 미국은 중남미의 정치적 불안을 당연한 것으로 여겼고, 뒷마당의 혼란이 미국의 안보에 영향을 미친다고 생각하지 않았습니다.

중남미는 원래 그런 지역이니까 계속 낙후돼 있도록 내버려 두고 미국은 중동과 아시아에 집중했습니다.

미국이 뒷마당을 방치하는 동안, 2000년대 들어 떠오르는 강대국 중국이 서반구로 영향력을 확대하기 시작합니다. 특히 2008년 글로벌 금융 위기 이후 중남미 국가들이 미국과 유럽의 자본 시장 경색으로 어려움을 겪을 때, 중국은 중남미 국가들에 대규모 투자와 대출을 제공해 통제력을 키웠습니다.

지금 중국은 브라질, 아르헨티나, 페루, 칠레 등 중남미 주요 국가에서 미국을 제치고 최대 역외 무역 상대국으로 올라섰습니다. 파나마 운하 운영의 통제권도 상당 부분이 중국의 영향력 아래로 들어갔습니다. 미국에서 불과 140킬로미터밖에 떨어져 있지 않는 쿠바에는 중국의 도청 기지가 들어섰고, 브라질은 중국과 브릭스(BRICS) 동맹으로 경제, 외교, 군사, 안보 협력을 강화하고 있습니다.

다시 트럼프의 관세 정책으로 돌아가자면, 트럼프의 관세를 단순히 관세로만 볼 수 없습니다. 트럼프는 워싱턴의 시선을 다시 중남미로 옮기려고 하고 있습니다. 200년 전으로 거슬러 올라가는 먼로주의를 부활시켜 서반구에서 미국의 이익을 재확인하려고 합니다. 관세는 그 일부일 뿐입니다.

고쳐 쓰기엔 결함이 너무 많고 큽니다.

어쩌면 완전히 새로운 대안을

논의해야 할 시점일지도 모르겠습니다.

1억 8000만 원을 투자하면 은퇴 후 3억 1000만 원으로 돌려주는 금융 상품이 있다고 가정해 보죠. 여러분이라면 가입하시겠어요? 일시납 아닙니다. 매달 조금씩 나누어 내면 됩니다. 40년 동안 납입하고 25년 동안 나누어 수령합니다. 가입만 할 수 있다면 수익률이 70퍼센트 넘게 나오는 셈이죠. 장기 상품이란 점을 감안해도 꽤 괜찮습니다.

이 상품의 이름은 국민연금입니다. 사실, 우리 중 많은 숫자가 좋든 싫든 이미 가입해 돈을 꼬박꼬박 납부하고 있죠. 꽤 고수익 상품에 국가가 운영하니 안정성도 높습니다. 그런데 국민연금을 둘러싸고는 논란이 끊이질 않죠. 숫자 계산을 아무리 거듭해도 누구 하나 만족하지 못합니다. 오랜 논의 끝에 겨우 성사된 이번 개혁안에도 반발이 거셉니다.

이번 개혁안의 골자는 '더 내고 더 받기'입니다. 내는 돈을 소득의 13퍼센트까지 올립니다. 지금 9퍼센트씩 내고 있는데, 이걸 매년 0.5퍼센트포인트씩 8년 동안 올립니다. 소득 대체율도 40퍼센트에서 43퍼센트로 올립니다. 이건 바로 내년부터 적용됩니다. 당장 청년 세대를 상대로 한 '폰지 사기'라는 비판이 쏟아집니다. '더 내기'를 책임지는 것은 청년 세대인데 '더 받기'를 누리는 것은 50대 이상의 중장년층이라는 겁니다. 틀린 말은 아니죠.

하지만 이번 개혁안은 오랜 숙의 끝에 통과된 것입니다. 여야가 합의에 이르기까지 수많은 논의와 계산이 있었습니다. 국민연금 기금은 2055년 바닥날 것으로 추산됩니다. 이번 개혁으로 고갈 시점이 9년 늦춰졌습니다. 어떻게든 국민연금의 생명을 연장한 셈입니다. 그런데 이상합니다. 이번 개혁안 통과로 행복해진 사람은 없어 보입니다. 안도하는 사람도 없어 보이고요. 이유는 무엇일까요? 어쩌면 국민연금이라는 제도 자체에 결함이 있기 때문일지도 모릅니다.

정치 게임

국민연금의 첫 번째 결함은 이 제도가 정치의 영역이라는 점입니다. 수학이거나 경제학, 적어도 사회학쯤 되어야 할 것 같지만, 제도의 모양과 숫자를 정하는 주체가 국회인 이상 정치학일 수밖에 없습니다. 민주주의 사회에서 정치란 숙의와 합의여야 합니다. 하지만 자주 다수결의 함정으로 전락하곤 하죠.

연금은 연령에 따라 내는 사람과 받는 사람을 가르는 제도입니다. 그렇다면 한국 정치는 어느 연령대를 가장 중요하게 생각할까요? 50대입니다. 전체 국민의 16.76퍼센트를 차지합니다. 가장 큰 유권자 집단이죠. 60대와 40대가 그 뒤를 잇습니다. 각각 15.18퍼센트, 14.93퍼센트입니다.

국민연금을 두고 한때는 진보와 보수의 의견이 갈렸습니다. 진보는 소득 대체율, 즉 받는 돈을 높여 복지 사각지대를 메워야 한다고 주장했죠. 반면 보수는 기금의 재정 안정성을 먼저 고려해야 한다는 입장이었고요. 그런데 시간이 지나면서 둘의 경계가 흐릿해집니다.

당연한 결과입니다. 진보든 보수든, 사람이라면 누구나 덜 내고 더 받고 싶어 하니까요. 그래서 정치는 그 방향으로 움직였습니다. 1998년 이후 보험료율, 즉 소득 대비 내는 돈은 동결되었습니다. 98년도의 20대, 30대가 낼 돈을 올릴 수 없었던 겁니다. 2025년, 그들은 이제 50대와 60대가 되었습니다. 이제 곧 수급자가 됩니다. 지금까지는 보험료율을 못 올리는데 수급자는 늘어나니 2007년부터 소득 대체율도 같이 줄여 왔습니다. 그런데 이번 개혁으로 소득 대체율이 다시 상승합니다. 얄궂은 타이밍입니다.

국민연금 개혁안에 대응하기 위한 대학생 공식 기구가 출범했습니다.
발족 기자 회견에서는 "고통은 청년에, 혜택은 기성세대에"라는 말이
나왔습니다. / 사진: 한국일보 유튜브

시민과 마피아 게임

연금이 노후를 부족하지 않게 보장할 수 있도록 하자는
취지는 선합니다. 문제는 국민연금이 모두의 노후를 보장하는
것은 아니라는 점입니다. 이것이 국민연금의 두 번째
결함입니다.

　　한때 경제 관련 방송 프로그램이나 신문 기사에
자주 등장했던 주제가 바로 전업주부의 국민연금 납부
방법이었습니다. 배우자가 공적 연금에 가입되어 있다면,
전업주부는 국민연금 의무 가입 대상이 아니기 때문입니다.
그런데 가계에 경제적 여유가 있어 납입할 수 있다면 임의
가입으로 국민연금을 부어 두는 것이 이득이기 때문에,
유용한 노후 대비 재테크 기법으로 국민연금이 자주 소개되곤

했던 것이죠. 뒤집어 말하면, 전업주부의 노후는 따로
가입해야 챙겨 준다는 얘깁니다.

　　　국민연금은 의료보험과 다릅니다. 돈을 많이, 오래
내야 연금을 제대로 받을 수 있습니다. 그러니 노동 시장의
불균형이 고스란히 연금 불균형으로 옮아갑니다. 2023년
11월 기준, 남성 노령연금 수급자의 평균 수령액은 75만 원
수준이었습니다. 여성은 약 39만 원이었고요. 60대가 평생
겪어 온 노동 시장의 불균형이 명징한 금액으로 찍혀 나온
겁니다.

　　　실직이나 휴직 등으로 소득이 끊기면 국민연금
납부 예외 신청을 할 수 있습니다. 즉, 못 낼 사정이 생기면 안
내도 된다는 겁니다. 다만 그 경우 가입 기간이 줄어듭니다.
국민연금을 수급할 때는 내가 낸 만큼 받는 '비례 급여'에
'균등 급여'라는 것을 더해 받게 됩니다. 소득 재분배
장치인데, 균등 급여는 가입 기간이 길수록 많아집니다. 즉,
평생 고용 불안정에 시달린 가입자일수록 가입 기간이 짧아져
연금 수령액이 줄어드는 겁니다.

　　　국민연금은 모든 국민을 위한 연금이 아닙니다.
'모범 시민'을 위한 연금입니다. 80세 이상의 극빈층 노인은
한창 돈을 벌 때 제도 자체가 없었고, 비정규직을 전전하는

청년이나 경력 단절 여성에게도 불리한 제도입니다.
저소득층의 가입 비율은 40퍼센트 수준이고요. 안전망이
필요한 사람들에게 국민연금은 충분히 너그럽지 못합니다.

마이너스 게임

그럼에도 많은 사람들에게 든든한 노후 보장이 되어 준다면
국민연금의 존재 가치는 충분할 겁니다. 상대적 박탈감을
느끼는 현재의 20대, 30대 청년 계층도 납부한 연금을 아예
떼일 가능성은 낮다는 것이 전문가들의 중론이고요. 그럼에도
국민연금은 여전히 미래 세대에게는 마이너스 게임입니다.
너무 많은 돈을 묶어 두고 있기 때문입니다. 이것이 세 번째
결함입니다.

　　　　2024년 기준으로 국민연금의 적립금은 1213조
원입니다. 실질 GDP 추정치는 약 2289조 원이고요. 우리나라
GDP의 절반 넘는 돈이 국민연금 기금으로 적립된 겁니다.
이 돈은 국내외 투자 시장에 투입되어 있습니다. 국민연금은
돈으로 돈을 불려야만 하는 숙명을 지고 있으니까요.

　　　　만약 이 돈이 우리 내수 시장에 풀린다고 가정해
보죠. 돈은 시장에서 돌아야 추가적인 가치를 만들어 냅니다.

우리 동네 백반집을 키우고, 중소기업을 키우고, 다시 우리의 월급을 올리죠. 우리가 고갈 시점을 조금이라도 늦추고자 조바심 내는 국민연금의 적립금은, 미래 세대의 경제 성장 가능성을 빌려와 쌓아 둔 것입니다. 현재 세대의 노후를 대비할 목적으로요.

국민연금이 처음 시작되었던 때에는 일하는 사람이 많았고 기대 수명도 짧았습니다. 게다가 고성장이 이어지던 시대였습니다. 그런 시대에 맞춰 설계된 제도입니다.

상황이 많이 달라졌습니다. 인구 구조가 급변했고 성장의 시대는 끝났습니다. 노동 시장의 구조도 파편화하면서 소득 안정성도 떨어졌죠. 연금 제도를 먼저 시작한 유럽의 몇몇 국가는 이미 저금통에서 돈을 꺼내 연금을 지급할 수 없게 되었습니다. 청년 세대에게 걷어 수급자 세대에게 지급하는 '세대 간 계약' 시스템으로 이미 넘어간 겁니다. 그래서 연금 제도를 의심해 볼 때가 되었습니다. '개혁'으로는 부족합니다. 고쳐 쓰기엔 결함이 너무 많고 큽니다. 어쩌면 완전히 새로운 대안을 논의해야 할 시점일지도 모르겠습니다.

시간제 다음은 파견직,
비정규직 다음은
또다시 비정규직입니다.

일자리가 없습니다. 위기 수준입니다. 얼마나 심각한지는 숫자로 확인할 수 있습니다. 올해 1월의 구인배수가 0.28을 기록했습니다. 비어 있는 일자리의 개수를 구직자 수로 나눈 값입니다. 쉽게 말해 일자리 하나에 3~4명이 줄을 서 있는 상황이죠.

글로벌 금융 위기로 전 세계가 휘청이던 2009년 1월의 구인배수는 0.29였습니다. 상황이 그때보다도 안 좋다는 얘깁니다. 역대 최저치는 IMF 금융 위기로 고용 시장이 완전히 부서졌던 1997년 1월로, 0.23이었습니다.

구직난의 이유는 크게 두 가지로 나누어 볼 수 있습니다. 일자리를 구하는 사람이 많아졌거나, 신규 채용이 줄어들었거나겠죠. 현재는 후자입니다. 비어 있는 일자리가 전년 같은 달 대비 무려 42.7퍼센트 감소했습니다. 1997년 통계가 시작된 이래 가장 큰 감소 폭입니다. 코로나가 덮쳐 왔던 2020년과 2021년 1월에도 각각 7.7퍼센트, 11.2퍼센트 감소했던 것을 생각하면 이례적인 상황이 분명합니다.

모두에게 어려운 시기입니다. 하지만 특히 첫 취업을 준비하는 청년층에게는 더욱 잔인한 시기입니다. 일생을 들여 한 칸씩 쌓아 나갈 사다리의 첫 디딤대부터 금이 간 꼴이기 때문입니다.

그런 일자리는 없다

어떤 일자리가 줄어들었을까요. 탄탄하고 안정적인 자리 위주로 줄었습니다. 300인 이상의 대형 사업체가 사람을 뽑지 않는 겁니다. 주로 대기업이나 중견 기업이 여기에 속합니다. 2022년에는 18만 2000명이 대형 기업에 취업했지만, 이듬해인 2023년에는 절반 수준으로 떨어졌고, 작년엔 이마저도 줄어들어 5만 8000명으로 떨어졌습니다.

불확실성 때문입니다. 요즘 저희 북저널리즘은 분야를 가리지 않고 변화가 시작된다는 이야기를 끊임없이 전해 드리고 있습니다. 국내외 정치는 물론이고 지정학적 리스크, 경제와 기술 분야에서도 어제와 오늘의 상황이 다릅니다. 기업으로서는 채용을 섣불리 늘리기 어렵습니다. 다음 달에 더 생산해야 하니, 내년까지 미국 지사를 내야 하니 사람이 더 필요하다는 결정을 할 수 없는 겁니다.

이런 상황은 사회에 처음 발을 내딛는 청년층에 더욱 불리합니다. 경기가 좋아 미래를 보며 기업을 경영할 수 있을 때는 신입 사원을 채용해 우리 회사에 꼭 필요한 인재로 키워 나가겠다는 정책이 합리적입니다. 1~2년간의 투자로 고급 인적 자원을 확보할 수 있죠.

하지만 불확실성이 큰 상황에서는 정반대입니다. 신입 사원은 일종의 '비용'이기 때문입니다. 업무 숙련도는 낮은데, 교육에 돈이 들어가죠. 딱히 교육 프로그램을 제공하는 것이 아니더라도, 사수가 신입 사원에게 쏟는 시간과 에너지, 낮은 숙련도로 발생하는 조직의 비효율 등을 기업이 감당해야 하는 겁니다. 실제로 경력직 채용 비중은 2009년 17.3퍼센트에서 2021년 37.6퍼센트로 증가했습니다.

20대에게는 더 불리하다

이렇게 되니 경력이 없는 청년이 취업에 성공할 확률은 갈수록 줄어들고 있습니다. 한국은행이 경력 없는 구직자가 근로 계약 기간 1년 이상인 상용직으로 한 달 이내에 취업에 성공할 확률을 계산해 봤습니다. 2006년에서 2010년 사이 평균 1.8퍼센트였던 것이 2017년에서 2021년 사이에는 평균 1.4퍼센트로 떨어졌습니다. 같은 기간 경력이 있는 구직자의 성공률은 2.7퍼센트로, 두 배 가까운 수준입니다.

그 결과 20대는 '쉬고' 30대부터 본격적으로 직장 생활을 시작하는 경우가 늘었습니다. 20대 동안에는 임시직 등을 전전하며 짧게나마 경력을 쌓다가 30대가 되어서

비교적 안정적인 일자리를 구하는 겁니다. 실제로 20대보다 30대의 상용직 고용률이 17퍼센트포인트 더 높습니다. 이 중 7퍼센트포인트가 경력직을 선호하는 채용 시장의 분위기 때문이라는 것이 한국은행의 분석입니다.

이렇게 되면 청년 세대는 더욱 가난해집니다. 노동 시장에 진입하는 시점이 늦어지면서 생애 총취업 기간이 2년 정도 줄어들기 때문입니다. 그렇다고 비정규직 일자리라도 마다하지 말고, 일단 일을 시작하는 것이 현명하다고 할 수도 없습니다. 비정규직 근로자 중 1년 후에 정규직으로 전환하는 비율은 10퍼센트입니다. 정규직 근로자가 1년 후에도 정규직인 경우는 87퍼센트인데 말이죠.

미래는 더 위험하다

일하는 20대 10명 중 4명은 비정규직입니다. 비수도권에서 수도권으로 이직한 20~34세 청년의 절반은 경력이 있어도 파견직으로 일하게 되고요. 불안정한 일자리는 소득 안정성도 떨어뜨리지만, 업무 숙련도 또한 떨어뜨립니다. 본인의 의지와는 상관없이 저숙련 노동자의 위치를 벗어나기 어려워지는 겁니다.

앞으로는 어떻게 될까요. 변수는 AI입니다.
정확히는 AI 노출도(exposure)가 높으면서 AI
보완도(complementarity)는 낮은 직무는 사라질 가능성이
큽니다.

예를 들어 외과 의사나 판사의 경우 AI가 활용되기
쉬운 분야입니다. 환자의 병명을 진단하거나, 방대한
법률 데이터를 명료하게 정리하는 일은 AI가 쉽게 할 수
있습니다. AI 노출도가 높습니다. 그러나 사람의 생명과
인생을 좌지우지할 판단을 AI에 맡기는 일은 사회적 합의가
필요하죠. 그리고 인간은 책임 소재 때문에라도 AI에 그
권한을 넘기지 못할 가능성이 높습니다. 즉, AI가 인간을
대체하기 힘들기 때문에 AI 보완도 또한 높습니다.

이번에는 일반 사무직 중에서도 반복적인 업무가
많은 경우를 생각해 보죠. 매뉴얼에 따라 처리하기만 하면
되고, 인간의 판단과 그에 따른 책임은 그다지 요구되지
않는 업무 말입니다. 이 경우, AI 노출도가 높은데 보완도는
낮습니다. 즉, 전문가 집단이나 고숙련 노동자는 AI에
노출되어도 이를 활용하여 생산성을 높이는 데에 활용할 수
있습니다. 반면, 저숙련 노동자는 AI로 인해 노동의 가치가
평가 절하되거나 일자리를 잃을 위험도 커집니다.

지금 사회에 첫발을 내딛는 청년들은 일자리를 구하기 힘듭니다. 구인 건수도 적을뿐더러 경력직을 선호하기 때문입니다. 정규직은커녕 계약 기간 1년 이상의 상용직으로 일하기도 힘드니 시간제 일자리를 전전할 수밖에 없습니다. 시간제 다음이 정규직이라는 보장도 없습니다. 시간제 다음은 파견직, 비정규직 다음은 또다시 비정규직입니다. 그래서 경력은 쌓여도 숙련도는 쌓이지 않습니다. 결국, 이들의 업무 중 많은 경우가 AI에 대체될 위험에 놓이게 됩니다. 구인배수 0.28은 이렇게 잔인한 숫자입니다.

주저앉은 불곰

이제 산불은 사건이 아니라
일상이 된 겁니다.

2025년의 봄은 산불로 기억될 것 같습니다. 영남권 산불이 좀처럼 잡히지 않으면서 사망자가 26명까지 늘어났습니다. 사람이 낸 불입니다. 곳곳에서 예초기 사용 중에 튄 불씨가, 쓰레기 소각 현장이, 부모님 묘소에 올린 촛불이 이번 산불의 시작이 되었습니다.

산불 진화의 큰 축 중 하나가 바로 소방 헬기입니다. 최대 1만 리터의 물을 한 번에 쏟아내 산불의 머리 부분을 진화합니다. 다음에는 산불의 줄기들을 끊어내 거대한 불덩어리를 잘게 쪼갭니다. 이후 지면 가까이 남은 잔불과 작은 불덩어리를 지상에서 사람이 직접 진화합니다.

이번 산불은 나흘 넘게 지속되면서 2만 7000명 넘는 이재민이 발생했습니다. 산불 영향 구역은 1만 7534헥타르로, 여의도 면적의 60배가 넘습니다. 워낙 넓은 면적에서 불길이 치솟다 보니 전국 지자체의 소방 헬기가 총동원된 상황입니다. 그런데 산림청이 보유한 헬기 중 20퍼센트가 지상에 머물러 있습니다. 러시아산 헬기인데, 전쟁으로 부품을 수급하지 못해 사용할 수 없는 상황입니다.

불곰 작전

1992년 노태우 정부는 구소련에 빌려줬던 14억 7000만 달러 규모의 경제 협력 차관을 회수하는 과정에서 현금 대신 현물을 받게 됩니다. 주로 무기였는데, 일명 '불곰사업'입니다. 이 과정에서 러시아산 헬기가 대량으로 우리나라에 도입됩니다. 당시 들어온 주요 기종이 카모프(KA-32) 기종인데, 현재 산림청, 해양경찰청, 소방청 등에서 사용하고 있습니다.

　　카모프 헬기는 가격이 저렴한 편인데 힘은 좋습니다. 한 번에 3000리터 가량의 물을 퍼 나를 수 있죠. 동체를 작게 만드는 대신 물탱크를 달아 안정적으로 비행할 수 있습니다. 어느 정도의 바람에도 버틸 수 있죠. 또, 비행기와 달리 헬리콥터는 한자리에 머물며 떠 있을 수 있는데, 이걸 호버링이라고 합니다. 카모프 기종의 호버링 시간은 30분 이상으로 꽤 좋은 편입니다. 6000미터 상공까지 상승할 수 있고요. 한마디로 소방헬기로서는 가성비 좋은 모델입니다.

　　단점도 있습니다. 점검 주기가 짧습니다. 보통 헬기 부품 점검 및 교체 주기는 1000시간대입니다. 그런데 카모프 헬기는 몇백 시간마다 점검이 필요합니다. 모든 헬기가 그렇듯 10년에 한 번씩은 기체를 나사 하나까지 완전히 분해하여 검사하는 오버홀(Overhaul)도 진행해야 합니다. 전문 업체가 청주 공항에 있어 러시아 기술자들과 함께 유지 보수 등을 담당하고 있습니다.

러시아 헬기는 전문 정비업체에서 정기적으로 정비, 수리, 분해, 조립 등의 과정을 거쳐야 합니다. / 사진: (주)알에이치포커스

그런데 문제가 생겼습니다. 러시아의 우크라이나 침공 이후 수리용 부품을 들여올 방법이 막힌 겁니다. 2022년부터 시작된 대러시아 경제 제재 때문입니다. 카모프 기종의 주요 부품을 생산하는 곳이 러시아 군수 기업이라 제재 대상에서 제외할 방법이 없습니다. 냉전 종식의 상징과도 같았던 러시아산 헬리콥터가 신냉전의 도래로 날 수 없게 된 겁니다. 산림청은 현재 49대의 소방 헬기를 보유하고 있습니다. 이 중 29대를 차지하는 카모프가 주력 기종입니다.

10대는 이미 멈춰 섰고 시간이 갈수록 더 많은 헬기가 날 수
없게 됩니다.

달라진 산불

문제는 전쟁뿐만이 아닙니다. 이번 산불을 키운 것은 순간
풍속 20미터 이상의 강한 바람이었습니다. 이런 강풍
속에서는 카모프 같은 중형급 헬기도 안정적으로 날기
힘듭니다. 소형급 헬기는 위험하기도 할뿐더러, 적은 양의
물을 뿌려 봤자 강풍에 물이 흩어져 버립니다. 불의 머리와
맥을 끊을 수가 없게 되는 것이죠.

그래서 덩치가 더 큰 대형 헬기만 현장에 투입될 수
있습니다. 다만, 물 8000리터를 나를 수 있는 대형 헬기는
산림청에 5대뿐입니다. 그래서 봄철 산불에 대비해 해외에서
산불 전문 헬기를 빌려옵니다. 2024년에는 산불 진화 전문
헬기를 7대 빌려 썼습니다. 넉 달 빌려 쓰는데, 369억 원이
들었습니다. 올해는 2대를 겨우 빌렸습니다. 그나마 LA 산불
여파로 1대가 지난 14일에야 현장에 배치되었고, 나머지
1대는 이제 겨우 한국에 도착했습니다.

왜 우리나라에는 산불 진화용 헬기가 이렇게

부족할까요. 돈 때문입니다. 비싼 헬기를 잔뜩 사 두었는데 쓸 일이 없어 창고에서 먼지만 뒤집어쓴다면 문제입니다. 소중한 세금을 낭비하는 꼴이죠. 우리나라에 대형 산불이 일상이 아니었던 때에는 헬기 도입이 사치였던 이유입니다.

　　　하지만 우리 모두 느끼고 있듯, 봄철 산불은 이제 연례행사가 되었습니다. 갈수록 산불의 규모가 커지고 피해도 일파만파입니다. 봄이 더 덥고 건조해졌기 때문입니다. 2022년 유엔환경계획(UNEP)은 기후 변화로 인해 산불이 2030년까지 14퍼센트, 2050년까지는 30퍼센트 증가할 것이라는 전망을 내놨습니다. 국립산림과학원에서도 기온이 1.5도 오르면 산불 발생 가능성이 8.6퍼센트 상승한다고 밝혔고요.

　　　위험만 커진 것이 아니라 기간도 늘어났습니다. 1990년대에는 산불 위험 기간이 100일도 채 되지 않았습니다. 하지만 2000년대 들어서 170일 가까이로 증가했고, 최근 5년간 수치는 200일에 육박합니다. 이제 산불은 사건이 아니라 일상이 된 겁니다.

　　　산불이 쉽게 나는 환경으로 변하고 있는데, 사람은 그에 맞춰 변화하지 못했습니다. 사람들은 산에서 쉽게 라이터를 켜고 논과 밭에서 부산물을 태웁니다. 시골에서는 쓰레기장이 너무 멀리 있어 거동이 불편한 노년층을 중심으로 쓰레기 불법 소각도 이루어집니다. 살던 대로 살고 있을 뿐입니다. 하지만 변화한 환경에서는 예전보다 훨씬 더 위험천만한 행동입니다.

어디에 돈을 쓸까

환경은 변하고 사람은 변하지 않았으니 이제 대형 산불은 피하기 어려운 재난이 되었습니다. 발생 가능성을 예전보다 훨씬 높게 잡고 대비해야 합니다. 철마다 대형 헬기를 빌려다 쓸 것이 아니라 전격적으로 보유를 검토할 필요도 있겠습니다. 산불 진압용 소방 항공기 도입도 검토할 만합니다. 기종에 따라 헬기보다 훨씬 많은 양의 물을 퍼 나를 수 있습니다. 기상의 영향도 상대적으로 덜 받습니다. 소방관 출신의 오영환 전 의원이 도입을 주장했지만, 21대 국회 종료와 함께 그대로 묻혔습니다.

사실, 경상남도가 지난 2012년 캐나다의 CL-215 기종 소방 항공기를 임차한 일이 있습니다. 하지만 제대로 활용해 보지 못하고 방치되면서 비판이 나왔습니다. 임차료도 120일에 20억 원으로 당시로서는 큰돈이었습니다. 결국 재계약은 없었습니다.

13년 전과 지금은 상황이 다릅니다. 러시아산 헬기가 지금까지 수많은 산림과 생명을 살렸지만, 이제는 부족합니다. 더 확실한 공중 소방 자원 확보는 물론이고, 취수 방식과 운영까지 아우르는 새로운 시스템을 구축할 필요가 있습니다. 이를 위해서는 산림청의 예산 운용을 들여다보고 효율화하는 작업부터 착수해야 하겠죠.

자연재해를 대하는 우리의 자세도 다시 생각해 볼 필요가 있습니다. 일본에서는 '방재(防災)'가 아닌 '감재(減災)'를 강조합니다. 방재는 재난을 방지하는 일이고 감재는 재난의 피해를 최소화하는 일입니다. 재난을 피하기 어려워졌다는 사실을 인정하고 감재에도 좀 더 자원을 쏟을 필요가 있습니다. 불을 끄기 위한 장비와 사람에 더 투자하는 것은 물론이고, 산 근처 주민들의 대피 훈련 강화, 대피 동선 확보 등도 포함해야 합니다.

이제 산불을 막을 수 있다는, 피할 수 있다는 생각을 내려놓을 때가 되었습니다. 우리나라도 대형 산불과 함께 살아가야 한다는 현실을 받아들여야 합니다.

이 기업의 기술력에 지구의 일상이

걸려 있는 셈입니다.

구글이 300억 달러짜리 인수 계약을 체결합니다. 우리 돈으로는 43조 원이 넘는 금액입니다. 구글이 사들인 회사 중 가장 비싼 회사가 될 전망입니다. 어마어마한 몸값이 매겨진 이 회사는 위즈(Wiz)라는 이스라엘의 스타트업입니다. 보안업체로, 주력 분야는 클라우드 보안입니다. 구글을 비롯해 아마존, 마이크로소프트 등 주요 클라우드 기업들에 서비스를 제공하고 있습니다.

이번이 처음은 아닙니다. 지난 2024년 7월에도 구글은 위즈를 인수하기 위한 협상을 시도했습니다. 당시에는 230억 달러 규모였죠. 그 직전의 펀딩 라운드에서 위즈는 120억 달러의 기업 가치를 평가받았습니다. 그러니까 구글은 거의 두 배에 가까운 금액을 제시했던 셈입니다.

2024년에는 '빅 딜'이 무산되었습니다. 구글의 반독점 소송과 그에 따른 위즈 투자자들의 우려가 발목을 잡았습니다. 위즈는 자체적으로 기업 공개(IPO)에 나서겠다고 밝혔죠. 하지만 구글은 포기할 생각이 없어 보입니다. 아마도 IT 업계에 길이 남게 될 300억 달러짜리 딜을 다시 시도하고 있으니까요. 계약서에 서명은 했고, 이제 경쟁 당국의 반독점 심사 통과만 남았습니다. 구글이 이렇게 절실한 이유가 있습니다. 곧 닥칠 수 있는 디스토피아의 위협이 아주 구체적이기 때문입니다.

군인들의 회사

위즈는 2020년에 설립된 회사입니다. 이제 고작 6년 차라는
얘깁니다. 하지만 실력은 확실히 인정받고 있습니다.
창업자들의 출신부터 남다릅니다. 네 명의 공동 창업자들은
군대에서 처음 만났습니다. 이스라엘의 8200부대입니다.
우리로 치면 정보사령부 산하의 특임대에 해당합니다. 세계
최고 수준의 기술 정보기관으로, 정보 수집, 암호 해독, 방첩,
사이버전 등을 수행합니다. 강도 높은 훈련과 고도의 보안
지식으로 무장한 8200부대 출신들은 짧은 복무 기간을 마친
후 글로벌 IT 기업이나 실리콘 밸리로 진출하는 경우가
많다고 합니다.
　　　창업자 4인방의 첫 번째 회사는
아달롬(Adallom)입니다. 사이버 보안업체로, 2012년에
설립해 2015년 마이크로소프트에 매각했습니다. 3억
2000만 달러였죠. 이 자금을 기반으로 설립한 두 번째
회사가 위즈입니다. 비범한 창업자에 성공 사례까지 있으니,
투자자들의 면면도 화려합니다. 세쿼이아 캐피털, 앤드리슨

호로위츠, 인덱스 벤쳐스 등 이름만 들어도 유니콘이 보이는 VC들이 이름을 올리고 있습니다.

사실, 창업자들은 위즈가 탄탄대로를 달릴 것이라고는 생각하지 않았다고 합니다. 하지만 돛을 올린 배를 향해 순풍이 불어왔습니다. AI 열풍입니다.

블루 스크린 악몽

2024년 7월, 비행기가 뜨지 못하고 은행 거래가 중지되었습니다. 병원 시스템도 먹통이 되었죠. IT 대란이었습니다. 12시간 동안 마이크로소프트 클라우드 시스템을 사용하는 전산 시스템이 멈춰 선 겁니다. 오류가 있는 업데이트를 확인도 없이 모든 사용자에게 배포했고, 그 결과 공항과 은행, 병원과 기업을 블루 스크린이 뒤덮었습니다. 전 세계적으로 850만 대의 컴퓨터가 영향을 받았고 수십억 달러 규모의 손실이 발생한 것으로 추정됩니다. 델타항공은 이 사태로 6000대의 비행기가 운항하지 못했고, 5억 달러 이상의 손해를 입었다면서 손해 배상을 청구했죠.

그런데 델타항공이 소송을 제기한 상대는 마이크로소프트가 아닙니다. 크라우드스트라이크라는 보안업체입니다. 이름도 낯선 이 업체의 작은 실수 때문에 전 세계가 12시간 동안 암흑에 휩싸였던 겁니다. 우리는 사실 사이버 보안업체들에 관해 잘 모릅니다. 이들의 기술력에 지구의 일상이 걸려 있는 셈인데 말이죠.

그렇다면 우리는 얼마나 안전할까요. 2023년 기업이 랜섬웨어 범죄자들에게 '몸값'으로 지급한 돈은 10억 달러를 넘어섰습니다. 이 돈으로 범죄 조직은 기술력을 한껏 업그레이드했겠죠. 게다가 사이버 범죄는 이제 더 빠른 속도로 발전할 겁니다. AI 때문입니다. 2024년 7월의 IT 대란은 악의 없는 실수로 벌어진 일이지만, 2026년 7월에는 누군가 악의를 품고 대란을 일으킬 수도 있다는 얘깁니다.

스트리밍 시대

방법은 간단합니다. 어딘가를 끊어내면 됩니다. 어디인지도 명확합니다. 전 세계 클라우드 시장의 거의 70퍼센트를 장악하고 있는 아마존, 마이크로소프트, 구글의 클라우드 서비스를 노리면 됩니다. 우리가 스트리밍에 아주 깊이 의존하고 있기 때문입니다.

　　　　수에즈 운하와 파나마 운하가 막히면 물건 값이 오릅니다. 기다릴 새도 없이 가격 상승이 빠르게 찾아올 겁니다. 요즘에는 창고에 부품 재고를 쌓아 두고 제품을 생산하지 않기 때문입니다. 시장 상황에 따라 수요를 판단하고, 그때그때 조달하는 방식을 사용합니다. 중국에서 들어오는 배가 끊기면 미국에서 자동차를 만들 수가 없죠. 바로 '적시 생산(just in time manufacturing)' 모델입니다. 애플의 팀 쿡 CEO가 이 적시 생산 모델을 성공적으로 도입하면서 재무 상태를 급속히 호전시킨 일화가 유명합니다.

　　　　우리도 비슷한 삶을 살고 있습니다. 한 달에 한두 번 승용차를 사용한다면, 굳이 비싼 차를 구입해서 주차 비용과 유지 비용을 부담할 필요가 없습니다. 우버나 쏘카 같은 공유 경제를 이용하면 됩니다. 책도 미리 사서 가득 찬 책장에 이중, 삼중으로 쌓아 올릴 이유가 없죠. 읽고 싶을 때 밀리의 서재나 아마존 킨들을 이용하면 됩니다. 소유가 아니라 구독, 저장이 아니라 스트리밍입니다.

　　　　전산 시스템도 비슷합니다. 저희 북저널리즘만 해도 아마존의 클라우드 서비스가 멈추면 독자 여러분을 온라인에서 만날 방법이 없습니다. 많은 기업이 자사 내에

서버를 두지 않습니다. 서버도, 막대한 컴퓨팅 파워도
클라우드 서비스에 크게 의존합니다. 오픈AI 같은 생성형 AI
기업들도 마찬가지죠.

단일 지점 리스크

만약 우리가 생성형 AI에 지금보다 더 많은 것을 의존하고
있다고 가정해 보죠. 공항에서 비행 스케줄을 조정하고
터미널을 배정하며 이착륙 허가를 내리는 과정 등이 사람의
손을 완전히 떠나게 될 겁니다. 더 합리적이고 빠르게 판단할
수 있는 AI에게 맡기면 되니까요. 공항뿐만이 아닙니다. 금융,
인프라, 의료 등 모든 분야에서 점차 AI 의존도를 높여가는
추세입니다.

그래서 관건은 보안입니다. 오픈AI의 GPT 모델을
전면적으로 도입한 기업이라면, 단 두 가지만은 절대로
피하고 싶을 겁니다. 오픈AI 서버로 보내는 우리 회사의
데이터가 새어나가는 일과 오픈AI 서버가 멈춰 서는 일
말입니다. 즉, 마이크로소프트의 클라우드 방어막이 뚫리면
GPT 시스템을 도입한 기업도 같이 뚫리게 됩니다.

구글은 클라우드 업계 빅3로 꼽히지만, 후발

주자입니다. 점유율은 11퍼센트 정도이고요. 구글은 알고 있습니다. 현재는 검색 엔진과 광고를 통해 안정적인 수익을 올리고 있지만, 클라우드와 AI가 다음 먹거리라는 것을 말이죠. 그래서 구글에는 위즈가 꼭 필요합니다. 강력한 보안 없이는 AI가 약속할 유토피아는 불가능하기 때문입니다. 그리고 강력한 보안 없이는 구글의 클라우드 사업도 성장할 수 없기 때문이고요. 우리의 미래는 오픈AI나 구글보다는, 위즈 같은 기업들에 달려 있을지도 모릅니다.

지속 가능한 컴퓨터의 정의

뇌세포를 이용한 컴퓨터가 상용화됩니다.

5000만 원입니다.

궁극의 컴퓨터가 나타났습니다. 인간의 뇌세포로 연산합니다. 호주의 생명공학 스타트업 '코티컬 랩스'가 공개한 바이오 컴퓨터 'CL1'입니다. 인공적으로 만들어 낸 뇌세포를 통해 컴퓨팅 작업을 수행할 수 있도록 설계되었습니다. 아직 판매하는 제품은 아닙니다. 스페인 바르셀로나에서 열린 세계 최대 이동통신 박람회, 'MWC(Mobile World Congress) 2025'에서 선보였습니다.

그렇다고 먼 미래를 프로토타입으로 끌어와 전시한 것은 아닙니다. 오는 6월에 상업용 제품을 출시할 계획입니다. 가격은 약 3만 5000달러, 우리 돈으로 5000만 원 정도입니다. 연말에는 클라우드 시스템을 통해 뇌세포 컴퓨팅 서비스를 이용할 수 있도록 할 예정이고요.

인간 뇌세포를 사용한 바이오 컴퓨터 CL1 / 사진: 코티컬 랩스

Sibylla

일본 애니메이션 시리즈 〈사이코패스〉에는 '시빌라'라는
시스템이 등장합니다. 혼란이 닥친 가까운 미래, 작중
일본만은 평화로운 일상을 유지하고 있습니다. 그 비결은
범죄자를 미리 골라내 격리하고, 시민들의 능력과 의향에
맞는 직업을 배정하는 등 사회 질서를 완벽히 유지해 주는
시빌라 시스템 덕이죠. 지구상 가장 공정한 AI 시스템으로
알려졌던 시빌라의 정체는 인간의 뇌 247개를 이용한 생체
시스템이었습니다.

애니메이션은 디스토피아를 그립니다. 한 인간의
삶이 시빌라의 판단에 따라 결정되죠. 누군가는 꿈을
포기하기를 강요당하고, 누군가는 범죄를 저지를 가능성이
높다는 낙인이 찍힌 후 정말 테러범이 됩니다. 그러나
시빌라는 기계가 아니라 인간입니다. 당연히 인간의 결점인
편견과 자의적 판단이라는 노이즈를 갖고 있죠.

만약 컴퓨터가 기계 장치가 아니라 의식과 감정을
가진 인간의 뇌라면, 우리는 쉽게 전원 코드를 뽑아버릴
수 있을까요? 고장을 일으켜 시스템을 파괴하고자 할 때
제발 자신을 끝내지 말아 달라고 애원한다면 인간은 어떤

선택을 해야 할까요? 인류는 기술의 혁신에 뒤처질까 늘 두려워합니다. 그러나 기술 윤리가 함께 혁신하지 못하는 상황은 쉬이 간과하죠.

organoid

다만, 아직 시간이 좀 있다고 보는 견해도 있습니다. 시빌라만큼 발달한 형태의 바이오 컴퓨터가 상용화하려면 꽤 오랜 시간이 걸릴 테니까요. 인간의 뇌세포를 인공적으로 만들 수는 있지만, 사람의 뇌 크기로 키우는 것은 현재 불가능에 가깝거든요. 우리가 지금 만들 수 있는 것은 '오가노이드(organoid)' 수준입니다. 간단히 표현하자면 인간 신체 장기의 미니어처인데요, '장기(organ)와 유사한(oid) 것'이란 뜻입니다. 만드는 방법은 여러 가지인데, 대표적으로 줄기세포를 배양해 만들 수 있습니다. 인간의 심장, 간, 소장은 물론이고 뇌까지 어느 정도 기능을 하는 수준으로 키울 수 있죠.

하지만 한계가 있습니다. 크게 만들 수가 없는 겁니다. 우리 몸의 장기는 혈관을 통해 산소와 영양분을 구석구석 공급받습니다. 오가노이드는 불가능하죠. 배양

접시 위의 세포 덩어리다 보니, 자라나면 자라날수록 조직의 중심부까지 산소와 영양분이 닿기 어려워집니다. 인간의 뇌 오가노이드를 생쥐의 뇌에 이식한 실험이 있는데, 그 경우 인간 뇌 조직 부분 쪽으로 생쥐의 뇌혈관이 파고드는 현상이 관찰되었습니다. 산소가 부족한 곳으로 혈관이 뻗어나가는 것이죠. 물론, 이런 실험에 있어서는 당장 더 깊은 논의가 이루어져야 한다고 생각합니다.

이런 오가노이드를 만드는 까닭은 인간의 행복을 위해서입니다. 예를 들어 폐암을 치료하기 위한 신약을 개발하고 있다고 가정해 보죠. 제대로 기능하는지 알기 위해 가장 정확한 방법은 인간을 대상으로 직접 실험해 보는 것입니다. 그러나 무턱대고 임상 실험을 할 수는 없습니다. 말기 환자를 대상으로 할 수도 있겠지만, 아주 제한적인 횟수로만 가능하겠죠. 그러나 폐 오가노이드를 만들면 수백 번, 수천 번을 실험할 수 있습니다. 뇌 오가노이드도 마찬가지입니다. 인간이 인간의 신체에서 가장 무지한 부분이 바로 뇌입니다. 뇌는 먼저 죽는 장기 중 하나입니다. 연구가 어렵죠. 동물의 뇌를 연구하여 짐작하고, 사망한 뇌를 연구하여 짐작하는 식입니다. 뇌 오가노이드는 전혀 다른 가능성을 열어 줍니다.

AI

인간의 뇌를 가장 궁금해하는 사람들은 의학자나 생명공학자일 수 있습니다. 하지만 어쩌면 AI를 연구하는 사람들이야말로 지금 가장 몸이 달아 있을지도 모르겠습니다. 2024년 노벨 물리학상을 받은 'AI의 아버지', 제프리 힌턴 교수는 복잡한 문제를 해결할 방법을 '학습 가능한' 인공 신경망 개발을 목표로 연구해 왔습니다. 그래서 뇌의 신경망이 어떻게 작동하는지를 밝히고자 했죠. 애당초 AI(인공지능)라는 개념의 기원을 쫓아 올라가 보면 1940년, 뇌세포의 일종이라 할 수 있는 뉴런 신경망이 어떻게 작동하는지에 관한 기초적인 발견이 이루어진 것을 기점으로 볼 수 있습니다. 이때부터 컴퓨터 공학자들은 이 방식을 모방한 기계를 만들 수 있을지 궁리하기 시작했죠. 힌턴 교수는 반대로 AI 개발을 통해 인간의 뇌를, 지능을 이해하고자 했던 겁니다. 구글 검색을 대체할 만한 AI 챗봇은 궁극적인 목표가 아니었죠.

그렇다면 세계 최초의 바이오 컴퓨터 출시를 앞둔 코티컬 랩스는 어떨까요. 이 회사의 CEO는 한 인터뷰에서 엔비디아를 언급합니다. 오픈AI도 언급하죠. 코티컬 랩스는

'인간의 뇌세포를 이용해 AI 시스템을 구축하는 것'을 목표로 설립되었습니다. 물론 단기적으로는 뇌 관련 신약 개발 등에 활용되는 것이 가장 현실적인 상용화의 길일 것입니다. 하지만 이들은 더 근본적인 문제에 주목합니다. 2021년에 발표된 한 논문에 따르면 오픈AI의 GPT-3를 훈련시키는 데 미국 내 약 120개 가정에서 소비하는 전기의 양과 맞먹는 수준의 전력이 필요했다고 합니다. 반면, 인간의 뇌는 LED 전구 하나를 켜는 데 필요한 정도의 에너지를 소모할 뿐이죠. 미국의 슈퍼컴퓨터 '프런티어'와 인간의 뇌를 비교했더니 뇌가 에너지도 덜 쓸뿐더러 훨씬 빨리 배운다는 연구도 있습니다. 즉, 코티컬 랩스는 인간의 뇌를 가장 효율적인 CPU로 보는 겁니다. 뇌세포에 전기를 공급하는 것이 아니라 단순한 당분인 포도당을 화합물로 공급하기 때문에 훨씬 '지속 가능한' 컴퓨터라는 주장도 덧붙이고 있고요.

CL1

올여름 시장에 출시될 최초의 상용 바이오 컴퓨터 CL1은 기존 컴퓨터보다 더 효율적으로 학습하고 에너지 사용량도 적다고 합니다. 구체적인 성능이나 벤치마크는 아직 공개되지 않았지만, 코드를 짜는 등의 연산이 가능하다는 설명입니다. 이 컴퓨터의 디자인도 눈길을 끕니다. 살아 있는 세포로 동작하기 때문에 펌프와 온도 조절 장치 등이 달려 있습니다. 뇌세포가 최대 6개월간 생명을 유지할 수 있도록 하는 장치입니다.

낯설지만, 제대로 작동하기만 한다면 큰 거부감 없이 사용될 수 있을 겁니다. 인간은 세포에 감정 이입하지 않으니까요. 인간의 모습이 어렴풋이라도 보일 때에야 세포 덩어리를 생명으로 인지하기 마련입니다. 하지만, 이 회사가 2022년 선보였던 개발 단계 모델의 경우, '퐁(pong)' 게임을 학습하는 과정에서 지각을 보였다는 연구 결과가 공개되어 있습니다. 접시 위에 담긴 얇은 뉴런 망도 지각을 가질 수 있습니다.

세계를 바꿀 기술이 코 앞으로 닥치고 있습니다. AGI, 양자 컴퓨터, 핵융합 발전, 그리고 바이오 컴퓨터도요. 이 기술들이 인류를 위기에서 구할 수도, 혹은 행복한 미래를 약속할 수도 있습니다. 게다가 기술을 알면 기회를 잡을 확률이 높아집니다. 인류의 탐구가 위대한 까닭입니다.

한편, 동시에 기술을 알면 위험을 예방할 확률도 높아지죠. 오가노이드 연구자들도 이 사실을 잘 알고

있습니다. 학계 내에 엄격한 연구 윤리도 작동하고
있고요. 하지만 논의가 더 필요해 보입니다. 예를 들면 뇌
오가노이드를 동물에 이식해 연구하는 경우입니다. 기존
동물의 뇌와 오가노이드 사이에 연결이 생기면서 '키메라'가
됩니다. 피실험 동물의 입장에서는 세계가 뒤집힐 만한 혼란,
혹은 고통일 수 있습니다. 이런 연구에 관한 윤리 규정은 크게
두 가지입니다. 인간의 뇌 오가노이드가 동물 뇌의 주도권을
빼앗으면 안 된다는 것과 원숭이에게는 실험할 수 없는
겁니다. 지극히 인간적인 관점입니다. 그래서 몹시 파괴적인
관점이기도 하고요.

홈플러스에 문제가 생겼습니다.

쿠팡 때문만은 아닙니다.

홈플러스가 흔들립니다. 몇 곳의 매장은 문을 닫게 될 수도 있겠습니다. 문제는 빚입니다. 갚아야 할 날짜는 돌아오는데, 현재 상황으로는 해결하기 어렵다고 판단한 겁니다. 그래서 홈플러스는 법원에 회생 신청을 했습니다. 그리고 법원은 빠르게 받아들였고요. 빚도 갚을 것이고, 재무 건전성도 확보하겠다고 약속했지만, 위기는 이미 현실이 되어 닥쳤습니다. 전문가들은 이커머스 때문이라고 이야기합니다. 2015년 홈플러스를 인수한 사모펀드 운용사의 무리한 경영 때문이라는 비난도 나옵니다. 제 생각은 좀 다릅니다.

돈을 벌지만 빚은 못 갚는

홈플러스의 주인은 MBK 파트너스입니다. 사모펀드 운용사로, 지난 2015년 홈플러스의 지분을 100퍼센트 인수했습니다. 논란이 될 정도로 꽤 비싼 값이었습니다. 7조 2000억 원이었는데, 당시로서는 국내 인수 합병 사상 최고 금액이었으니까요.

　　MBK가 국내 최대 사모펀드기는 하지만, 이 많은 돈을 일시불로 입금한 건 아니었습니다. 집을 살 때처럼 담보 대출을 받았죠. 우리가 집을 사게 되면, 은행에 매수할 주택을 담보로 잡히고 대출을 받게 됩니다. 매수가가 7억 원이면, 은행에서 5억 원을 빌려서 집을 사는 식인데요, '우리 집은 현관만 자가고, 나머지는 전부 은행 것'이라는 농담이 그래서 나옵니다.

마찬가지로 MBK는 7조 원이 넘는 전체 인수 자금 중 5조 원을 담보 대출로 충당했습니다. 이때 전국에 쫙 깔린 홈플러스 매장들을 담보로 잡혔고요. 홈플러스의 가장 중요한 자산이죠.

현관만 우리 집이라도 꼬박꼬박 주택 담보 대출의 이자와 원금을 상환할 수 있다면 상관없습니다. 그런데 수입이 줄어 대출 상환에 차질이 생기면, 그건 곤란합니다. 홈플러스에 비슷한 문제가 생겼습니다. MBK가 생각했던 것만큼 돈이 벌리지 않은 겁니다.

대형 마트 시대의 종말

우리나라 대형 마트 1위 업체는 이마트입니다. 온라인으로 장을 본다는 개념이 없던 시절, 목 좋은 곳에 자리 잡고 최저가로 판매하는 이마트는 독보적이었죠. 이마트의 가장 큰 경쟁력은 입지와 매장 수였습니다. 위기를 기회로 살려낸 결과라 할 수 있겠습니다.

지금도 주말이면 주변 교통이 혼잡해지는 코스트코 양평점. 이곳에는 원래 '프라이스 클럽'이라는 창고형 매장이 자리 잡고 있었습니다. 1994년 신세계가 미국 코스트코와 제휴해 국내 최초의 회원제 창고형 마트를 론칭한 겁니다. 그런데 이게 생각만큼 잘되지 않았고, 1997년 외환 위기까지 터지자, 신세계가 이걸 미국 코스트코 본사에 되팔아 버립니다.

양평 코스트코가 얼마나 잘되는지 생각하면 아까운 결정일 수 있습니다. 하지만, 이 결정을 기점으로 이마트는 더욱 승승장구하게 됩니다. 당시 프라이스 클럽 판매 대금 약 1400억 원으로 이마트가 전국의 입지 좋은 땅을 사들인 겁니다. 이를 바탕으로 경쟁력 있는 매장 수를 빠르게 늘려갈 수 있었고요. 당시의 토지 매입을 주도했던 것이 정용진 신세계 회장이었던 것으로 알려져 있습니다.

그러니까, 대형 마트의 성패는 부동산이었습니다. 최대한 많은 사람들의 생활권 중심에 위치해야 경쟁사의 점포를 제치고 선택받을 수 있으니까요. 홈플러스도 그걸 잘 알고 있었죠. 대구와 부산, 경상도 지역을 시작으로 매장 수를 늘려갔습니다.

그런데 MBK가 홈플러스를 인수하기 1년 전인 2014년, 유통 업계에 전무후무한 일이 발생합니다. 쿠팡이 '로켓배송' 서비스를 론칭한 겁니다.

쿠팡 때문에?

전국에 깔고 앉아 있는 부동산이 최대 자산이자 경쟁력이었던 대형 마트 입장에서는 패러다임의 붕괴였습니다. 매장에 가지 않더라도 집 앞에, 하루 만에 필요한 물건이 배송된다면 굳이 땅값 비싼 요충지에 매장을 운영할 필요가 없으니까요. 변화는 서서히, 하지만 단호하게 이루어졌습니다. 2015년에는 마켓컬리가, 2018년에는 쿠팡 로켓프레시가 등장합니다.

이마트도 타격을 입기는 했습니다. 다만, 신세계는 2019년 SSG.COM을 선보이는 등 적극적인 대응에 나섰죠. 반면 홈플러스는 대형 마트 중에서도 대응이 늦었다는 평가를 받습니다. 그 결과 홈플러스는 2018년부터 꾸준히 매출이 줄어들기 시작합니다. 2021년부터는 적자를 기록하고 있고요. 빚은 많고 돈은 못 버니 신용 등급이 하락했습니다. 홈플러스가 돈을 더 빌리려면 높은 이자를 물어야 한다는 뜻입니다.

MBK는 홈플러스의 회사 가치를 올려 비싼 값에
되팔 생각이었습니다. 다른 모든 사모펀드 운용사와
마찬가지로 말이죠. 사모펀드는 투자자에게 보통 5년 정도의
기한을 두고 투자를 받습니다. 거꾸로 말하면 5년 안에 회사를
어떻게든 리뉴얼해서 다시 팔고 빠졌어야 한다는 얘깁니다.
그런데 아무리 구조 조정을 하고 재무 효율화를 꾀해도 회사
가치가 올라가기는커녕, 이커머스에 밀리고 이마트에 치이며
경쟁력을 잃기만 합니다.

결국 MBK는 빚을 갚기 위해 홈플러스 매장을 팔기
시작합니다. 돈이 필요해 매물을 내놓는 것을 시장이 다 아는
상황이니 장사 잘되는 매장부터 내놓을 수밖에 없었습니다.
2020년 1호점인 대구점을 매각한 이후 점포 20여 개를
팔았습니다. 악순환의 시작입니다. 대형 마트가 저렴한
가격에 물건을 판매할 수 있는 까닭은 규모의 경제입니다.
'많이 살 테니 싸게 납품해 달라'는 요구가 공급 업체에
먹히니까요. 하지만 점포 수가 줄어들면 바잉파워(buying
power)가 줄어들 수밖에 없습니다. 다양한 물건을 편리한
입지에서 싸게 판다는, 대형 마트의 본질을 지키기가 점점
힘들어지기 시작한 겁니다.

문제는 리더십

전문가들은 홈플러스의 추락을 시대적 결과라고 이야기합니다. 유통의 헤게모니가 이미 이커머스 쪽으로 넘어갔다는 겁니다. 대형 마트 전체가 위기를 맞은 상황에서 홈플러스가 먼저 위기를 맞은 것뿐이라고요.

사모펀드 운용사가 회사를 운영했기 때문이라는 시각도 있습니다. 분명, MBK는 실패했습니다. 마음도 급해졌습니다. 그 과정에서 장기적인 경영 전략은 후순위가 되고 당장의 이익에 급급하다 보니 스스로의 경쟁력을 도려내서 팔아 치우는 식으로 버텼습니다. 급변하는 유통 시장에 적응하지도 못했고요.

저는 두 분석 모두 핵심을 놓치고 있다고 생각합니다. 모두 맞는 말이긴 하지만요. 이커머스 시대에도 회사 가치를 꾸준히 올리고 있는 대형 마트가 있기 때문입니다. 바로 미국의 '월마트'입니다.

미국도 이커머스의 시대로 접어든 지는 오래입니다. 쉽게 말해, 아마존이 유통을 장악하고 있다는 얘깁니다. 미국 가정의 70퍼센트 이상에 당일 배송이 가능하고, 2017년에는 홀 푸드 마켓(Whole Foods Market)을 인수했으니,

오프라인에까지 그 영향력을 뻗고 있다 할 수 있겠습니다. 소비자 구매액 기준으로 아마존이 월마트를 제쳤던 2021년에는 '월마트의 위기'가 공공연히 언급되곤 했죠.

월마트가 흔들렸던 것은 사실입니다. 위기감도 느꼈고요. 2016년 월마트는 아마존의 대항마로 불리던 이커머스 스타트업, 제트 닷컴(Jet.com)을 인수합니다. 하지만 잘 풀리지 않았습니다. 결국 2020년 월마트는 제트 닷컴을 포기하죠.

이후 월마트는 대형 마트의 기본을 재정비합니다. 매장을 수리하고, 코로나19 사태로 바빠진 직원들의 급여를 인상하죠. 미리 주문을 넣어 놓고 퇴근길 매장에 들르면 준비하고 있던 직원이 나와 트렁크에 바로 상품을 실어 주는 서비스도 시작합니다.

별것 아닌 듯싶지만, 한국의 대형 마트와는 전략의 결이 다릅니다. 요즘 대형 마트에 가보면 물건이 진열된 공간에 진입하기 전까지 각종 보험 등의 가입 상품 부스, F&B 업장 등을 한참 지나야 합니다. 매장 안에서는 예전보다 직원이 줄어 도움을 요청하기가 어려워졌습니다. 계산대는 줄어들고 대신 키오스크가 생겨 고객이 직접 물건을 스캔하고 포인트와 결제 방법을 챙겨야 합니다. 한국 대형 마트는 예전보다 피곤해졌습니다.

마트에서 고객은 어떤 가치를 원할까요. 물건을 저렴하게 사고, 그 구매 과정을 경험으로써 즐기고자 합니다. 개인의 취향에 따라 갈리겠지만, 온라인으로 사과를 사는 것보다는 눈으로 직접 쌓여 있는 사과를 보고 고르는 편이 더 즐겁죠. 물건의 위치를 직원에게 묻거나 계산대에서 빠른 손놀림으로 결제를 진행해 주는 캐셔와 간단한 인사말을 나누기도 합니다.

이 모든 과정이 얼마나 중요한지를, 월마트는 잘 알고 있었습니다. 미국 월마트의 CEO가 무려 월마트 인턴을 거쳐 점장까지 지낸 사람이거든요. 그러니까 현장을 제대로 아는 전문가라는 얘깁니다.

반면 MBK 인수 이후 홈플러스의 역대 CEO들은 주로 CFO 출신의 회계 전문가들이었습니다. 나름의 최선을 다했을 것이고, 회사를 허투루 운영했을 것이라고는 생각하지 않습니다. 하지만 숫자를 들여다보기만 해서는 마트의 주된 소비자인 중장년 여성들이 키오스크 이용에 아직 익숙하지 않다는 사실을, 그래서 그들의 장보기가 조금 덜 즐거워졌다는 사실을 알기 어려울 겁니다.

월마트는 보너스 등을 포함하면 점장의 연봉을 최대

5억 원 수준까지 지급합니다. 보통 몇 년간 계약직으로 일하며
경험을 쌓은 뒤 정규직 사원으로 꾸준히 일하다 점장이 되는
경우가 많습니다. 즉, 캐셔로 입사해 5억 연봉 점장이 될 수
있다는 얘기입니다. 매장을 운영하는 것은 본사의 사무실이
아니라 고객을 직접 만나 서비스를 제공하는 직원들이라는
사실을 잘 알고 있는 CEO이기 때문에 가능한 결정입니다.
그리고 그런 결정은 결과를 냅니다. 월마트의 주가는 위기를
극복하고 꾸준히 오르고 있습니다.

　　홈플러스는 물론이고 한국의 대형 마트는 고객에게
무엇을 팔고 있는지를 잊은 것은 아닐까요. 숫자를 보는
리더십과 고객을 보는 리더십은 이렇게 다릅니다. 시대가
변화해도 기본은 변하지 않습니다.

미드 센추리 모던은
몇 년째 전 세계의 열병 같은 것이
되어 버렸습니다.

미드 센추리 모던. 지금 가장 잘 팔리는 키워드입니다.
디자인이나 집 꾸미기에 관심을 두고 계신다면, 좀 지루하게
느끼실 수도 있겠네요. '오늘의 집'을 비롯한 집 꾸미기
플랫폼에는 붙일 수 있는 모든 곳에 이 키워드가 붙어
있으니까요. 우리나라만의 유행은 아닙니다. 이케아에서도
1960년대와 70년대에 선보였던 뉘틸베르카드(Nytillverkad)
컬렉션을 재출시했습니다. 미드 센추리 모던은 몇 년째 전
세계의 열병 같은 것이 되어 버렸습니다.

　　　이 스타일은 정치와 경제, 예술과 철학이 뒤섞여
탄생한, 다분히 '20세기 중기', 그 시대를 위한 것이었습니다.
그리고 그 시대를 움직였던 기술을 바탕으로 탄생했죠.
21세기의 중반을 향하고 있는 지금, 우리는 다시 미드 센추리
모던에 빠져 있습니다. 이유는 무엇일까요? 단순히 유행이
돌고 도는 것이라고 이야기하기엔 뒷맛이 조금 씁쓸한 구석도
있습니다.

바우하우스

산업 혁명이 혁명이었던 까닭은 대량 생산을 창조했기
때문입니다. 당시까지 인류 역사에는 없던 개념입니다.

사람의 손으로 직접 실을 자아내고 옷감을 짜내어야 했던
시대에는 면포 한 필이 귀했죠. 하지만 기계는 백 필, 천 필도
군말 없이 찍어냅니다. 물론 그 기계 앞의 노동자들은 새로운
기술에 일자리를 빼앗겼지만 말입니다.

　　이러한 대량 생산의 시대 앞에 고민하는 사람들이
생겨났습니다. 새로운 기술을 어떻게 일상으로 끌어들일
것인지를 논의하고 주장했던 사람들입니다. 우리가 생성형
AI라는 기술의 폭발 앞에서 그러하듯이 말입니다. 그중에는
건축과 예술에 몸담았던 사람들도 있었습니다.

　　그들은 산업 혁명으로 탄생한 못생긴 공산품들을
어떻게 개선할 것인지를 이야기하기 시작했습니다. 영국의
'미술공예운동'이 그러했지요. 이에 영향을 받아 뮌헨을
중심으로 시작된 '독일공작연맹'은 영국에 지지 않을 만큼
아름답고 쓸모 있는 공예품을 대량 생산하겠다는, 다분히
국가주의적인 의도를 가진 움직임이었습니다. 이를 이어받은
것이 바로 바우하우스입니다. 20세기의 '디자인' 개념을
발명해 낸 교육 기관입니다. 이들은 예술가 및 공예가의
작업이 대량 생산에 잠식되어서는 안 된다고 생각하기도
했고, 아름다운 공예품이 대량 생산되어야 한다고 생각하기도
했습니다. 어떤 방식으로든, 이들은 대량 생산이 예술과

일상의 한 부분으로 자리 잡을 것임을 잘 알고 있었지요.

아름다운 의자의 가격

이들의 새로운 공예품은 과거와의 결별 같은 것이었습니다.
과거는 아름다움의 가격이 몹시 비쌌습니다. 돈이
있어도 가질 수 없는 경우가 많았죠. 예를 들어 의자를
살펴보죠. 1800년대 후반까지만 해도 의자는 주로 나무로
만들었습니다. 귀족이나 부유한 신흥 계급이 사용했던 의자는
좋은 나무에 섬세한 조각을 입히고 고운 비단 천을 덧댄
쿠션을 얹어 완성했습니다. 부품 하나하나를 손으로 깎고
기우는 작업이었습니다. 그래서 아름다운 의자는 비쌌습니다.
귀했습니다. 장인이 혼을 실어 만들어 낸 '작품'이었으니까요.
　　　　그런데 1925년 디자인된 바실리 체어는 다릅니다.
바우하우스 1기 입학생 마르셀 브로이어는 자전거 제작
과정에 착안하여 바실리 체어를 설계했습니다. 강철 파이프를
구부리고 잘라 가죽을 얹은 것이 전부입니다. 공중에 둥둥 떠
있는 듯한 착석감과 기계 시대의 서막을 선언하는 듯한 외형.
그리고 그보다 더 충격적이었던 것은 이 기이한 의자가 대량
생산에 최적화되어 있었다는 사실입니다.

강철 파이프를 구부려 구조물을 만드는 기술은 20세기의
발명품이었습니다. 첨단 기술이었죠. / 사진: Bauhaus-Archiv

다음으로는 임스 부부(Charles & Ray Eames)의
몰디드 플라스틱 체어입니다. 바실리 체어보다 훨씬 자유로운
곡선으로 구성되어 있죠. 임스 부부는 사실 합판을 열과
압력으로 가공하여 곡선 형태로 만드는 성형 합판(Molded
Plywood) 기술로 이름을 알렸습니다. 특히 2차 세계 대전
당시 미국 해군을 위해 만든 부목을 계기로 주목받게 됩니다.
나무를 깎아 만들어서는 몇 달이 걸릴지 모를 물건을 성형
합판이라는 새로운 재료로 보다 쉽게 만들 수 있게 된 겁니다.
이 기술을 응용한 가구들, 특히 의자가 이후 명성을 얻습니다.
그리고 임스 부부는 1950년대 궁극의 소재를 만나게 되죠.
바로 플라스틱입니다.

플라스틱

플라스틱을 성형해 만들어 낸 의자들은 단단하고 가벼우며
아름다웠습니다. 그리고 곡선의 가격을 획기적으로
낮췄습니다. 나무, 금속, 돌 중 무엇이라도 곡선으로 자르려면
특별한 기술과 노력이 필요했으니까요. 시간도 적잖이
들었고요. 그런데 플라스틱으로는 그 귀한 곡선을 성형
합판보다도 훨씬 쉽게 만들어 낼 수 있었죠. 이제 인류는
소재에 맞춰 디자인해야 한다는 족쇄를 풀어냈습니다. 철학자
롤랑 바르트가 플라스틱을 향해 "한계 없는 변화의 아이디어
그 자체"라며 찬사를 보낸 이유입니다.

플라스틱은 부유하지 않은 사람들에게도 자유로운 곡선을
허락했습니다. 임스 부부는 플라스틱의 가능성을 알아봤죠. / 사진:
Eames Office

이렇게 아름답게 설계된 대량 생산 제품을 소비할
소비자들이 나타난 것은 전쟁이 끝난 후였습니다. 1945년
종전 이후 고향으로 돌아온 군인들은 무엇이든 할 준비가
되어 있었고 희망으로 가득 차 있었습니다. 이들은 직업 교육,
일자리 주선 등 국가의 지원을 받아 시장 경제 시스템으로
쏟아져 들어왔습니다. 동시에 가정을 이루어 새로운 집을
꾸미게 되었고요. 호황기였습니다. 그 풍요는 세탁기와
냉장고라는 형태로, 그리고 아름다운 미드 센추리 모던
스타일의 실내 장식, 가구 등으로 자리 잡았습니다. 장인이
조각한 장식이 없어도 충분히 아름다웠죠.

　　이 스타일이 이름 그대로 20세기 한중간인
1945년도에 시작되었던 이유입니다. 미드 센추리 모던은
1970년경 수명을 다했다고 봅니다. 중동발 1차 오일 쇼크로
끝나지 않을 것 같던 낙관이 흔들린 것이 1973년이니까요.
미드 센추리 모던은 산업 혁명과 전쟁으로 촉발된 기술의
발전, 전쟁을 기점으로 달라진 사회적 분위기와 예술 철학은
물론이고 그에 따른 삶의 방식까지 물성에 담아 형태로
빚어낸 상징이었습니다.

21세기의 미드 센추리 모던

아름다움을 대량 생산해 누렸던 20세기의 미드 센추리 모던은 왜 21세기에 다시 유행하고 있을까요. 이런저런 분석이 많지만, 제 경험을 바탕으로 말씀드리자면, 1인 가구나 세입자가 누릴 수 있는 일상의 아름다움으로 최적이기 때문입니다. 작은 테이블과 의자 정도라면, 그것도 중국산 카피 제품이라면 원룸에서도 충분히 디자인을 경험할 수 있습니다. 그러나 미드 센추리 모던은 우리의 것이 아닙니다. 그 시절의 것이죠.

예를 들어 소재에 관해 생각해 보죠. 롤랑 바르트가 《현대의 신화》를 발표했던 1957년의 플라스틱과 2025년의 플라스틱은 다릅니다. 우리 뇌 속에는 한 스푼 분량의 미세플라스틱이 흘러들어 있다고 하죠. 제조 업체들이 플라스틱을 얼마든지 재활용할 수 있다는 식으로 소비자를 속여 왔다는 폭로도 나왔고요. 더 이상 플라스틱은 첨단 과학의 산물도 아니고 찬사의 대상도 아닙니다. 오히려 이를 분해하거나 대체할 방법을 찾기 위해 연구자들이 고군분투하고 있죠. 우리 시대의 스타일을 위한 소재는 무엇일까요? 적어도 플라스틱은 아닐 겁니다.

디자인의 기본 철학은 어떤가요. 미드 센추리 모던 스타일의 건축은 유리와 강철을 기본으로 한 개방감 있는 구조가 특징입니다. 그 이전까지의 건축 양식을 20세기의 기술을 앞세워 전면 부정하는 셈이죠. 우리의 모습과는 매우 다릅니다. 50년 된 다가구 주택 원룸까지 갈 것도 없습니다. 서울에 지어진 도시형 생활 주택의 판에 박힌 구조와 창문 크기를 생각해 보면 쉽게 알 수 있죠. 21세기의 미드 센추리 모던은, 점점 작아지는 삶을 위한 장식품으로 모양만 남았습니다.

20세기의 한중간에는 전쟁을 끝내고 새로운 시대를 시작하는 사람들을 위한 디자인이 필요했습니다. 장식 없이 지어진 간소한 작은 집에도, 유리와 금속을 양껏 사용하여 극한의 미니멀리즘을 추구했던 대부호의 최첨단 가옥에도 미드 센추리 모던 스타일은 잘 어울렸지요. 모듈식 가구라는 완전히 새로운 개념도 시장에서는 기꺼이 받아들여 실험해 내는 시절이었습니다.

21세기의 우리도 어쩌면 한 시대의 시작점에 있을지도 모릅니다. 저성장기로 접어들면서 오늘보다 내일 더 가난한 상황에 적응해야 합니다. 평화로운 세계가 끝나지 않을 줄 알았지만, 실은 평화란 존재한 적이 없었습니다.

커다란 전쟁이 두 곳에서 동시에 벌어지며 그동안의 착각이
얼마나 순진했는지 증명하고 있습니다. 낙관과 희망보다는
비관과 인내의 계절입니다.

　　　2025년에는 2025년의 스타일이 필요합니다. 하지만
우리는 스타일을 창조할 권리를 빼앗겼습니다. 혁신이
없고 낙관이 없기 때문입니다. 새로운 스타일을 갈구하는
사람이 적기 때문입니다. 정체된 시절에는 스타일도
지루해집니다. 옛것을 곁눈질해 일종의 '장식'으로 빌려 올
뿐이죠. 인상주의가 탄생하기 직전 아카데미의 고전파가
그러했듯이 말이죠. 다만, 정체된 시절은 곧 새로운 물결을
맞이하기 마련입니다. 미드 센추리 모던 스타일은 충분히
아름답습니다. 가치 있습니다. 하지만, 저는 이다음의 물결이
조금 더 기대됩니다.

시대에 따라

결혼과 사랑 간의 관계도,

결혼이 갖는 의미도 달라집니다.

'결정사'로 흔히 불리는 결혼정보회사. 우리 사회가 일종의 계급으로 나뉘어져 있음을, 한 사람이 결혼 시장에서는 상품으로서 가격이 매겨질 수 있음을 상징하는 존재입니다. 자본주의와 결혼 제도가 만나 발생한 사업 형태라고 할 수 있겠죠. 데이트 앱이 사용자의 외모나 취향을 기준으로 매칭하는 데에 초점을 맞추고 있다면, 결정사는 여기에 직업과 자산 규모 등을 더합니다.

최근에 등장한 '원결회'라는 이름의 모임은 결정사의 좀 다른 형태입니다. '반포 원베일리 결혼정보회'의 준말인데, 서울 서초구 반포동의 '래미안 원베일리' 아파트 단지 내에 결성된 모임입니다. 원베일리 아파트 입주민과 서초, 강남, 반포 지역 주민만 가입할 수 있습니다. 2024년 4월에 만들어졌는데, 벌써 두 쌍의 커플이 탄생했다고 합니다.

원베일리는 '국민평형'에 해당하는 80제곱미터 평형의 매물 가격이 40억 원 전후로 형성되어 있습니다. 손에 꼽히는 고가 아파트 단지라는 얘깁니다. '그들만의 리그'에는 곱지 않은 시선이 따라붙기 마련이죠. 주거에 따라 계급을 가르는 문화를 상징하거나, 부추긴다는 우려도 나옵니다. 하지만 연애와 결혼의 역사를 따져 보면, 원결회는 지극히 합리적인 모임입니다.

결혼정보회사

우리는 '데이트'라는 문화가 인류의 탄생부터 당연히
존재했다고 생각합니다. 사실과 다릅니다. 데이트에는 두
가지 전제가 필요하죠. 개인적인 여가 시간, 그리고 집 밖에서
두 남녀가 만날 자유 말입니다. 미국에서 두 전제가 모두
성립하기 시작한 것은 1900년 무렵입니다. 물론 그 이전에도
구애, 요즘 말로 '플러팅'은 있었죠. 사교 댄스파티 등에서
상대를 골라 점찍은 뒤, 남성이 여성의 집에 방문해 부모님
앞에서 만남을 갖는 식이었습니다. 소설《작은 아씨들》에
묘사된 내용이 참고될 수 있겠습니다.

그런데 사회가 변화했습니다. 연애의 방식도
달라졌죠. 하버드대학교의 모이라 와이글 비교문학과 교수는
저서《사랑은 노동》에서 산업 혁명과 함께 발생한 이농
현상을 변화의 원인으로 꼽습니다. 1880년대부터 농촌에서
도시로 일하러 온 여성들이 가정과 마을의 울타리 바깥으로
나오기 시작한 겁니다. 이들이 살던 집은 하숙이나 공동
주택의 형태였습니다. 때문에 집 바깥에서 여성과 남성이
함께 시간을 보내는 데이트 문화가 발생했다는 것이죠.

공간의 힘이란 참 무섭습니다. 만남의 장소가 개인의

영역이 아닌 공공의 영역으로 변화하면서 결혼에 대한 인식도 달라졌으니까요. 가문의 일이 아니라 개인의 일이 된 겁니다. 여기에 산업화로 인한 '임금 노동'이 보편화하면서 개인이 가문을 벗어나 재산을 축적할 수 있게 되고, 경제적으로 독립할 수 있게 되었다는 점도 한몫했겠지요. 와이글 교수는 데이트 문화의 형성을 계기로 결혼 시장의 상품이 가문에서 개인으로 바뀌었다는 점을 설명합니다.

사랑과 결혼 사이

물론, 20세기가 되기 이전부터 사랑은 결혼의 전제였습니다. 적어도 유럽 사회에서는 그런 믿음이나 환상 같은 것이 있었습니다. 하지만 그 역시 역사가 오래된 것은 아닙니다. 낭만적 사랑과 그 결실로서의 결혼은 17세기 이후에서나 많은 사람들이 향유하는 개념으로 부상했으니까요. 인간, 즉 '개인'의 존재에 주목하는 르네상스의 영향입니다.

그 이전에는 결혼이란 무엇이었을까요? 너무 냉정한 시선일 수도 있겠습니다만, 결혼은 아주 실용적인 목적으로 개발된 사회적 규약입니다. 먼 옛날, 인간이 수렵과 채집 생활을 멈추고 농경을 시작하면서 지금까지는 가져 본적 없는 것을 갖게 됩니다. 바로 '잉여 생산물'입니다. 요즘 말로 번역하면 '자산'에 가깝겠죠. 주로 무력을 가진 남성이 소유하게 되는 경우가 많았습니다. 이것을 '나'의 유전적 후계자에게 상속하기 위한 목적으로 결혼 제도와 가부장적 문화가 발달했다는 것이 학자들의 중론입니다. 즉, 결혼이란 경제적 동기에 따른 경제적 계약이었죠.

사랑도 있었습니다. 사람의 일인데 당연하지요. 다만, 사랑보다 우선시되는 가치가 많았다는 얘깁니다. 그것이 이상한 일도 아니었고요. 어딘가에서는 사람보다 신이 중요했고, 또 어딘가에서는 유교적 규율이 개인의 의지보다 중요했습니다. 무엇보다, 먹고사는 일이 쉽지 않았습니다. 결혼해서 아이를 낳는 과정은 사랑의 결실이 아니라 노동력 확보에 가까웠고요.

결혼이라는 위험

시대에 따라 결혼과 사랑 간의 관계도, 결혼이 개인에게 갖는 의미도 달라집니다. 그렇다면 지금, 우리의 결혼은 1990년대와, 1970년대와 다른 무언가일 겁니다.

지금 청년들이 사회적으로 결혼과 출산의 압력을

받으면서도 결혼하지 않는 까닭을 살펴보면 거울처럼 결혼이라는 제도의 정체가 드러날 수도 있겠지요. 《시사IN》의 2023년 설문 조사 결과입니다. 스스로를 상위층이라고 인식하는 비혼 응답자의 경우 70퍼센트 넘게 결혼 의사가 있다고 답했습니다. 반면, 스스로를 중하위층이나 최하위층으로 여길 경우 결혼 의사가 있는 비율이 50퍼센트가량이었고요. 왜 그런지는 다른 문항에 대한 답변을 보면 알 수 있습니다. 결혼 의향이 없는 비혼 응답자는 결혼 의사가 있는 응답자에 비해 결혼에 따른 불안감을 더 크게 느끼고 있었습니다. 시간이나 돈에 있어 자유도가 떨어질까, 경력에 악영향을 미칠까 불안하다는 겁니다. 즉, 누군가에게 결혼은 감수해야 할 '리스크'가 되어 버렸습니다.

인내하고 감수하며 고생하면 아주 높은 확률로 오늘보다 더 잘사는 내일이 오는 시대는 끝났습니다. 오히려 추락하지 않기 위해 외줄 타기를 해야 합니다. 중산층 가정에서 태어나 대기업 관리직인 아버지와 전업주부인 어머니 사이에서 태어난 자녀. 그 자녀 중 누군가는 취업 시장에서 밀려나고 부모 세대와 함께 누렸던 계급에서 한 단계, 두 단계 추락합니다.

실패해도 괜찮다는 말은 호사스럽습니다. 우리는 각

계급의 현실을 적나라하게 소비하고 있으니까요. 〈좋좋소〉나 〈05학번 이즈 히어〉, 〈휴먼다큐 자식이 좋다〉 등은 수면 위로 드러난 아주 일부일 뿐입니다. 내 친구의 씀씀이가 인스타그램을 통해 생중계된 지 15년째이니 말입니다. 잠깐 발을 잘못 디디면 그 실패의 대가가 어떤지 우리 모두 잘 알고 있습니다. 우리가 지금 어디에 있든 그 아래로 추락합니다.

모든 삶이 낱낱이 콘텐츠화되어 소비됩니다. 물론 그 과정에서 다양한
삶이 하나의 프레임에 갇히는 일도 발생하죠. / 사진: 핫이슈지

이런 사회에서 연애나 결혼을 '안전하게' 하고 싶다는 욕구는 당연합니다. 서울 시내 대학교를 중심으로 같은 대학이나 소위 '등급이 비슷한' 대학끼리만 가입할 수 있는 데이팅 앱이 홍보되고 있는 것도, 아예 노골적으로 'SKY 대학'만 대상으로 하는 앱이 있는 것도 이런 욕구에 대한 응답

같은 것이겠지요.

비슷한 공동체

안전한 결혼을 위한 안전장치로 '아파트'는 매우 합리적인
조건입니다. 입주민들은 토지는 물론이고, 아파트가 보유한
커뮤니티 시설, 입지 등을 공유합니다. 인생의 경험치가
비슷해집니다. 재미있는 논문이 있습니다. 서울 송파구에서
대단지 아파트의 편의점 점포와 다세대 주택 밀집지 점포를
비교한 연구입니다. 아파트 단지 쪽의 편의점에서는 저녁
시간에 사람들이 가족이나 친구들과 편의점 야외 테이블에
앉아 30분 이상 휴식을 취하고 이야기를 나눕니다. 아파트
내부 정원도 잘 조성되어 있고 보행로가 넓고 밝으니,
편의점이 흡사 공원 안 휴게소처럼 기능하는 겁니다. 반편,
다세대 주택 밀집지의 점포는 대부분의 이용자가 물건만 사서
돌아갔습니다. 좁고 차량 통행이 많은 길가에 자리 잡고 있기
때문입니다.

게다가 '초품아'에 이사 오는 사람들, '학군지'
아파트에 이사 오는 사람들, 재건축 아파트에 이사 오는
사람들은 인생의 우선순위가 꽤 비슷할 확률이 높습니다.

평형에 따라 표준화된 아파트 가격을 지불하고 들어왔으니
경제적인 여유도 비슷하겠죠. 비슷한 사람들이 모여 사는
공동체는 안전합니다. 나의 상식과 이웃의 상식이 비슷할
확률이 높기 때문입니다.

　　　　지금은 우리의 시선보다 원결회가 조금 더 멀리
있을지도 모릅니다. 하지만 곧 적응할 겁니다. 변화를
받아들이게 되겠죠. 원결회는 헤프닝이 아니라 결혼에
도달하는 전혀 새로운 방식의 시작일지도 모릅니다. 이름값
있는 아파트 단지마다 생길지도 모르죠. 다만, 이런 방식의
결혼에 관해서는 묘한 감정이 드는 것이 사실입니다. 아무리
역사가 돌고 돈다지만, 데이트 문화와 함께 집 밖으로
해방되었던 결혼이 다시 집으로 돌아온 셈이니까요.

우리가 어떤 음악과

조우할 기회가

여전히 존재하느냐의 문제입니다.

스포티파이가 2024년 흑자를 기록했습니다. 연간 흑자는 창사 이래 처음입니다. 의아하게 생각하시는 분도 계실지 모르겠습니다. 스포티파이의 유료 가입자는 2억 6300만 명입니다. 2024년 4분기 월간 활성 사용자 수는 6억 7500만 명이고요. 세계 음악 스트리밍 시장 1위를 수성하고 있습니다. 그런데도 스포티파이는 지금까지 돈을 벌지 못한 겁니다. 음원 스트리밍 시장을 개척하고 수익을 낼 수 있게 되기까지 스포티파이는 정말 많은 실험을 했습니다.

흑자 전환에 가장 크게 기여한 요인은 감원과 가격 인상이라는 분석이 나옵니다. 노래방 기능이나 퀴즈, 팟캐스트 투자는 물론이고 AI를 도입한 추천 서비스까지 스포티파이가 개척하고 앞서나간 분야는 수도 없이 많습니다. 하지만 그 어떤 혁신보다 사람을 줄이고 가격을 올리는 정책이 힘을 발휘했다니 좀 허무하긴 하네요. 그런데, 정말 그게 전부일까요?

스포티파이 음모론

스포티파이는 입이 무거운 회사입니다. 수많은 음원 플랫폼 중에서도 단연코 돋보이는 추천 기능과 셀 수 없을 정도로 세분된 '마이크로 장르' 플레이리스트에 숨겨진 비밀에 관해 단 한 번도 공개한 적이 없습니다. 스포티파이는 분명, 콘텐츠계의 퀀텀 투자사라고 할 수 있을 겁니다. 그런데 몇몇 사람들이 즐겨 듣던 플레이리스트에서 이상한 점을 발견하기 시작했습니다. 듣도 보도 못한 아티스트의 음원이 등장하기 시작한 겁니다.

이를 자세히 들여다본 사람이 있습니다. 뉴욕의 작가 리즈 펠리(Liz Pelly)입니다. 생각보다 많은 사람들이 이상한 경험을 하고 있었습니다. 분명히 조금 전 들었던 곡인데 반복해서 재생되는 것 같아 플레이리스트를 살펴보면, 전혀 다른 아티스트의 다른 곡이었다는 겁니다. 들어 보면 같은 곡이라 해도 이상하지 않을 정도로 비슷하고요.

펠리는 스포티파이의 내부 문서, 근무했던 전 직원과의 인터뷰, 슬랙 메시지 등을 확보했습니다. 그리고 이를 바탕으로 스포티파이가 아티스트들에게 불공정 행위를 했다는 의혹을 주장합니다. 그러니까, 스웨덴 출신의 20명 정도의 아티스트가 500개 이상의 이름으로 활동하면서 저비용 음악을 찍어내고 있다는 겁니다. 그걸 스포티파이가 의도적으로 플레이리스트에 포함하고 있고요.

페이올라 스캔들

혹시 1950년대 미국 로큰롤 음악을 좋아하시는 분 계실까요? 엘비스 프레슬리, 척 베리, 리틀 리처드 등의 이름을 떠올리셨다면, 맞습니다. 풍요로운 음악의 시대였습니다. 하지만, 아티스트와 음악을 알릴 방법이 제한적인 시대이기도 했습니다. 레코드를 구입해서 들어 보거나 공연장에 가지 않으면 대체 어떤 음악인지 알 도리가 없었죠. 그러니까, 사람들은 계산을 끝낸 다음에서야 자신이 무엇을 구입했는지 정확히 알 수 있었던 겁니다.

그런데 음반을 구입하지 않고도 음악을 들어 볼 방법이 있었습니다. 바로 라디오입니다. 라디오 전파를 타야 음악을 널리 알릴 수 있었다는 얘깁니다. 그래서 비리가 자라나기 시작했습니다. '페이올라(Payola)'라는 이름의 뇌물이 만연하기 시작한 겁니다. 축음기 모델 '빅트롤라(Victrola)'에 돈을 지불(Pay)한다는 합성어였죠. 페이올라를 받아야 방송국 디제이들이 음악을 틀어 주는 관행이었습니다.

형태는 다양했습니다. 현금은 기본이고 앨범을 대량으로 건네받아 레코드 상점에 되파는 방법도 있었죠.

또, 음반사의 주식을 받거나 공동 작곡가로 이름을 올려
저작권료를 챙기는 경우도 있었습니다. 어찌 되었든, 라디오
DJ들은 음악계에서 자신들이 가진 권력을 돈으로 환전해
이득을 챙겼습니다. 부작용이 심각해졌고, 결국 미국 하원은
1959년부터 청문회를 열어 페이올라 관행을 조사하기에
이릅니다.

앨런 프리드는 미국에 로큰롤이라는 물결을 불러온 장본인으로
꼽힙니다. 그러나 프리드의 전설적인 DJ로서의 위치는 페이올라
스캔들과 함께 무너졌습니다. / 사진: Radio Hall of Fame

들리지만, 듣지 않는

당시의 라디오 DJ들이 갖고 있던 권력을, 지금은 누가 갖고
있을까요? 한때는 이문세와 전영혁, 신해철과 유희열 등이

가졌던 그 권력 말입니다. 아무래도 알고리즘일 겁니다. 우리가 무엇을 들을 것인지 결정할 권한은 알고리즘에 있습니다. 그리고 그 알고리즘을 만들고, 조정하며 변형하고 개입할 권한이 스포티파이나 애플 뮤직 같은 스트리밍 플랫폼에 있죠.

　　실제로 음악 레이블은 스포티파이로부터 저작권료를 받지만, 동시에 홍보비도 지출합니다. 이를테면 'Indie Rock Now'나 'Pop Rising' 같은 플레이리스트에 자신의 곡을 포함시키는 대가로 스포티파이에 돈을 내는 것이죠. 21세기 페이올라입니다. 차이가 있다면, 이것은 엄연히 합법이라는 것이겠죠.

　　스포티파이는 여기에 멈추지 않았습니다. 정액제 요금을 지불한 구독자들의 청취 패턴을 살펴보니, 어느샌가 사람들은 음악에 귀 기울이고 있지 않았습니다. 그냥 일상의 배경음으로 취향에 맞는 플레이리스트를 재생하거나, 셔플 기능을 이용하고 있었던 겁니다. 반복적인 패턴의 노이즈가 끝없이 재생되는 수면 앰비언트 사운드가 얼마나 인기 있는지, 분명 수없이 들었지만 들은 적이 있는지도 알지 못하는 음악이 얼마나 많은지 생각해 보면 우리의 음악 소비가 예전과는 크게 달라졌다는 것을 알 수 있습니다.

그런데 이런 식으로 소비되는 음악에까지 비싼 저작권료를 지불할 필요는 없다고, 스포티파이는 생각했던 것일까요? 무난하면서 튀지 않는, 그래서 플레이리스트가 재생 중이라는 사실도 문득 잊을 만한 음악이라면 스포티파이 입장에서는 최고일 겁니다. 저작권료가 저렴하다면 더할 나위 없겠죠. 펠리는 스포티파이가 내부적으로 PCF(Perfect Fit Contents) 프로그램을 운영하면서 비용이 적게 드는 음악을 플레이리스트에 적극적으로 포함시켰다고 주장합니다. 게다가 그런 음악을 생산하는 데에 스포티파이가 관여했다고도 이야기하죠.

히라야마의 테이프

얼마 전 개봉했던 영화, 〈퍼펙트 데이즈〉의 주인공 히라야마(야쿠쇼 코지 役)는 올드팝을 좋아하는 중년의 공중화장실 청소부입니다. 히라야마는 음악을 테이프로 듣죠. 오늘은 어떤 음악을 들을지 신중히 골라 카세트 플레이어에 넣고 버튼을 누릅니다. 히라야마는 자신이 어떤 음악을 좋아하는지, 어떤 음악을 듣고 있는지 잘 알고 있습니다. 셀 수 없이 많은 순간, 그 음악에 귀를 기울였기 때문입니다.

문득 찾아온 조카가 스포티파이 이야기를 꺼냅니다. 히라야마의 '밴 모리슨' 카세트테이프를 보며 스포티파이에도 있을지 묻는 것이죠. 히라야마는 스포티파이가 '어디에' 있는지 되묻습니다.

도쿄 시부야의 공공시설 청소부 히라야마는 카세트테이프로 올드 팝을 듣고, 필름 카메라로 나무 사이에 비치는 햇살을 찍는 매일을 살고 있습니다. / 사진: 씨네큐브 유튜브

스포티파이는 어디에나 있습니다. 모두 듣고 있지만, 아무도 듣고 있지 않죠. 히라야마의 테이프는 히라야마의 주머니 속에만 있으되 누군가 그 음악을 듣고 있습니다. 어느 쪽이 옳고, 어느 쪽이 옳지 않은 문제는 아닐 겁니다. 시대와 기술이 달라지면 예술의 작동 방식도 달라지는 법이죠. 다만, 우리가 어떤 음악과 '조우'할 기회가 여전히 존재하느냐의 문제입니다. 50년대의 페이올라는 뮤지션의 음악이

125

청취자에게 가 닿을 기회를 박탈했습니다. 음악 산업을 뒤틀었죠. 스포티파이는 어디서든 원하는 음악을 들려줍니다. 그런데 정말 그런가요? 누군가는 의심하고 있습니다. 오늘은, 제가 듣고 싶은 음악을 들어 볼 작정입니다.

talks는 북저널리즘이 2018년부터
진행하는 인터뷰 시리즈입니다.
사물을 다르게 보고, 다르게 생각하고,
세상에 없던 것을 만들어 내는 사람을 만납니다.

다 죽어가던 텍스트가 트렌드가 됐다. 읽기보다는 쓰기 덕분이다. 성인 두 명 중 한 명은 1년에 책을 한 권도 읽지 않는데, 쓰는 사람은 늘고 있다. 블로그, 인스타그램부터 카카오톡, 텔레그램까지 인류는 어느 때보다 많은 텍스트를 쓰고 있다. 글쓰기에 관심이 폭발하면서 서점 베스트셀러 상위권을 필사책이 휩쓸고 있다. 모두가 쓰는 시대, 어떻게 해야 더 잘 쓸 수 있을까? 《에디토리얼 라이팅: 생각을 완성하는 글쓰기》의 저자이자 북저널리즘 CEO인 이연대를 인터뷰했다.

'에디토리얼 라이팅'이란 무엇인가?

'editorial writing'은 퓰리처상 수상 부문 중 하나다. 우리말로 옮기면 '사설 또는 칼럼 쓰기' 정도가 될 것 같다. 설명하고 주장하고 설득하는 글쓰기다. 폭넓게 해석하자면 픽션을 제외한 거의 모든 글쓰기가 에디토리얼 라이팅에 해당한다. 사설, 칼럼뿐만 아니라 기획서, 광고 문구도 여기에 포함된다. 결국 독자의 마음을 움직이기 위해 쓰는 글이니까.

부제가 '생각을 완성하는 글쓰기'다. 완성된 생각을 독자에게 전하는 것이 글쓰기 아닌가?

우리는 흔히 글쓰기를 잘해야 내 생각을 다른 사람에게 잘 전달할 수 있다고 생각한다. 맞는 말이다. 그런데 글쓰기의 또 다른 효능이 있다. 글을 쓰는 동안 생각이 완성된다는 것이다. 이 책을 쓰면서 다시 깨달았다. 내가 다 아는 내용을 글로 옮기기만 하면 될 줄 알고 작업에 착수했는데, 책의 절반은 쓰는 과정에서 새롭게 생각한 것들로 채워졌다. 달리 말하면 글을 쓰지 않았다면 결코 알지 못했을 것들이다. 발견되길 기다리고 있는 것들을 알아내기 위해서라도 우리는 계속 써야 한다.

《에디토리얼 라이팅》의 저자 이연대 / 사진: 북저널리즘

좋은 글의 조건이 무엇이라고 생각하나?

①독자를 중심에 두고 ②공학적으로 설계해 ③분명한
목적을 가지고 ④명료한 문장으로 쓴 글이다. 발행된 글은
책이든 칼럼이든 보고서든 소셜 미디어 게시물이든, 모두
프로덕트(product)다. 프로덕트 오너(owner)가 제품과
서비스를 개발할 때 고객의 문제를 정의하고 니즈를
분석하듯, 작가는 독자에게 집착해야 한다.

독자에게 집착한다는 것을 더 구체적으로 설명해
달라.

늦은 저녁 배가 출출한데 밖에 나가기 싫을 때 사람들은
배달 앱을 켠다. 장 보러 갈 시간이 없으면 쇼핑 앱을 열어
새벽 배송을 주문한다. 우리는 특정한 문제를 해결하기 위해
제품과 서비스를 '고용'한다. 글도 그렇다. 사람들은 문제에
맞닥뜨렸을 때 책을 찾는다. 팀장으로 승진한 사람은 리더십
도서를 찾고, 곧 부모가 될 사람은 육아 도서를 찾는다. 작가의
글은 독자의 문제 해결을 돕기 위해 '고용'되는 셈이다. 책이든
칼럼이든 보고서든 광고 문구든 독자의 문제를 정의하고,
해결할 방법과 수단을 계획하는 것이 기획이다.

북저널리즘 발행인·편집인으로서 100권이 넘는
책을 발행했다. 직접 쓰고 편집한 책도 여러 권이다.
경험에 비추어 볼 때 어떻게 해야 잘 쓸 수 있다고
생각하나?

기획력과 문장력이 필요하다. 정보가 무한한 시대에
기획력이란 곧 편집력이다. 편집력을 더 쉬운 말로 바꾸면

'순서 감각이 있다'이다. 이 감각이 있는 사람은 글을 쓸 때 정보를 단순 나열하지 않고 맥락에 따라 배열한다. 단어와 문장과 문단이 있어야 할 곳에 있게 한다. 기획력이 아무리 좋아도 전달력이 없으면 소용이 없다. 머릿속 기획을 흘리지 않고 독자에게 잘 전달하려면 문장력이 좋아야 한다.

문장력은 어떻게 키울 수 있나?

문장력을 강화하려면 내 글을 많이 써봐야 한다. 흔히 글을 잘 쓰려면 다독, 다작, 다상량이 필요하다고 하는데, 굳이 하나를 꼽자면 다작이 가장 중요하다. 필사도 글쓰기 실력을 높이는 데 도움이 되지만, 내 글을 쓰면 다작과 다상량을 동시에 할 수 있어 훨씬 좋다.

기획력을 높이는 훈련 같은 것이 있을까?

잘된 기획을 뜯어봐야 한다. 좋은 기획을 만났을 때 '좋다' 하고 끝내는 게 아니라, 왜 좋은지 알아내야 한다. 책이라면 목차를, 글이라면 단락 구성을 뜯어서 분석하는 것이다. 잡지를 창간한다면 레퍼런스로 삼고 싶은 잡지의 흐름을 분석한다. 첫 페이지부터 끝 페이지까지 페이지별로 어떤 레이아웃을 썼는지 기록한다. 이 작업을 마치고 나면 내가 그 잡지의 톤앤매너를 좋아한 이유를 알 수 있다. 예를 들어 《킨포크》를 보면서 눈이 편안하다고 느꼈는데 전면이 텍스트인 페이지가 3쪽 이상 이어지지 않는구나, 하는 것을 알아차리게 된다.

> 글은 쓰고 싶은데, 뭘 써야 할지 막막하다는 사람이 많다.

주제를 찾을 때는 내가 잘 알고 잘 쓸 수 있는 분야에서 찾는 것이 좋다. 세계사에 전문성이 있다면 세계사에서 주제를 찾아보고, 마케터로 일하고 있다면 마케팅 분야에서 주제를 살피는 것이다. 전문성이 글쓰기의 기준을 높이기 때문이다. 평범한 직장에서 단순 반복 업무를 하고 있어서 전문성이 없다고 말하는 사람도 있다. 그렇지 않다. 분야를 좁히면 전문가인 것을 찾을 수 있다. 그 주제를 다루면 된다. 주제가 너무 좁아서 독자가 적을 수 있지만 괜찮다. 주제가 좁을수록 독자가 열광적일 확률이 높다.

커리어를 막 시작한 사람이라면 전문성 있는 분야를 찾기 어려울 수도 있는데.

전문성이 꼭 학문 영역이나 직무에 국한하는 건 아니다. 예를 들어 서울시 중구 약수동에서 나고 자란 24세 대학생이 있다. 이 친구는 뉴스레터 서비스를 기획하고 있다. 반려견을 키우니까 반려동물에 관한 이야기를 써볼까, 경제학을 전공하니까 미국 증시에 관해 써볼까, 고민하고 있다. 둘 중 무얼 택하든 독자를 모으기 어렵다. 같은 주제를 다루는 더 좋은 뉴스레터가 많으니까. 하지만 이 친구가 약수동의 매력적인 작은 가게들을 안내하는 뉴스레터를 만든다면 어떨까. 약수동을 잘 아는 작가가 동네 골목을 탐방하며 재밌는 가게를 소개하고 주인장 인터뷰까지 들려주는 뉴스레터라면 관심이 간다. 그 사람만 할 수 있는 이야기이니까. 약수동을 좋아하는 사람들과 로컬 크리에이터들이 구독할 수 있다. 우선 작게 시작해서, 소수의 열광적인 독자를 모으고, 그다음에 동네를 하나둘씩 추가하면 된다.

주제를 정한 다음에는 뭘 해야 하나?

글을 공학적으로 설계한다. 구성이 글쓰기의 거의 전부다. 작가들과 책 작업을 해보면 목차 구성이 세밀할수록 좋은 책이 나온다. 목차는 상세할수록 좋다. 책이라면 장별로, 피처나 칼럼이라면 단락별로 개요는 물론이고 분량까지 정하면 좋다. 구조적·시각적 균형이 잡힌 글은 필연적으로 논리적 균형을 이룬다. 독자는 정보를 읽지 않는다. 맥락을 읽는다. 목차를 구성할 때는 정보를 단순 나열해서는 안 된다. 맥락에 따라 배열해야 한다. 그래야 정보의 부가 가치가 올라간다.

책에서 한 챕터를 할애해 '은·는·이·가' 같은 조사에 대해 다뤘다.

글의 기둥은 주어와 서술어, 목적어이지만, 결국 조사로 연결된다. 조사 사용은 단순한 문법적 약속을 넘어 설득과 소통을 좌우하는 요소다. '이·가'는 앞말을 주어로 만드는 주격 조사이고, '은·는'은 보조사다. 문장 속에 어떤 대상이 화제가 되거나 대조될 때 주격 조사 자리에 보조사를 넣을 수 있다.

예를 들어 논란이 되는 사건이 발생해 '정부가 책임을 져야 한다'라는 제목의 칼럼이 나왔다고 가정해 보자. 이 문장은 정부가 사건의 주체임을 밝히고 있다. 이 문장을 '정부는 책임을 져야 한다'라고 쓴다면, 문장은 정부를 화제어로 삼아 '다른 누구도 아닌 정부가 반드시 책임을 져야 한다'는 느낌을 강조한다. 미묘한 차이지만, 결과적으로 독자들 사이에서 '이번 사건에선 정부의 책임이 확실하지 않나' 하는 논의가 더 빠르게 퍼질 수 있다.

> 한국어 문장을 잘 쓰려면 동사를 잘 써야 한다고 강조했다.

한국어는 동사 중심의 언어이기 때문이다. 모호한 서술어만 잘 정리해도 문장이 좋아진다. '노력을 했다'는 '다른 것이 아닌 노력을 했다'로 읽힐 수 있다. 이 뉘앙스를 의도한 게 아니라면 명사처럼 사용한 동사를 진짜 동사로 만들어야 한다. '노력했다'로 쓴다. '생각을 했다'가 아니라 '생각했다', '결정을 했다'가 아니라 '결정했다'라고 쓴다. '후회하지 않을 수 없었다'처럼 복잡하게 꼬지 말고 '후회했다'로 쓴다.

부사와 형용사의 과잉 사용을 경계했다.

글쓰기는 주관을 객관의 영역으로 옮기는 작업이다. 척하면
착 이해하는 독자는 많지 않다. 생각을 이전하는 과정에서
유실률을 줄여야 독자가 작가의 의도를 더 정확하게 이해할
수 있다. 그런데 부사와 형용사는 주관의 언어여서 대개는
유실률을 높인다. '빠르게 달린다'라는 말에서 '빠르게'의
기준이 저마다 다르기 때문이다. 부사는 감정과 동작을
풍성하게 만들지만, 넘치게 사용하면 문장의 목적을 잃게
한다. 부사와 형용사에 의존하기보다는 동사와 명사로
직접적이고 구체적으로 쓰는 것이 좋다.

> 이어령 초대 문화부 장관, 김부겸 전 국무총리,
> 이문열 소설가, 최재천 이화여대 석좌 교수, 승효상
> 건축가, 김범수 카카오 창업자, 니콜라스 카 등을
> 인터뷰하고 여러 권의 책을 냈다. 책에 인터뷰 잘하는
> 법도 담겼다. 인터뷰라는 포맷이 왜 좋은가?

작가에게 인터뷰는 강력한 무기가 된다. 구어성이 강한
텍스트여서 요즘 독자에게 잘 맞기도 하고, 게다가 인터뷰

기사는 시간 투자 대비 품질이 뛰어나다. A4 용지 세 장 분량의 산문을 출판 품질로 써내려면 사나흘은 잡아야 한다. 그런데 인터뷰 기사는 섭외와 준비, 진행에 들어간 시간은 제외하고 원고 작성에 들이는 시간만 따졌을 때, 서두르면 서너 시간 만에도 완성된 원고를 낼 수 있다. 인터뷰가 좋은 또 다른 이유는 생동감이다. 내가 한 영화감독의 삶과 연출 철학에 관해 아무리 정확하고 구체적인 언어로 에세이를 쓰더라도, 그 영화감독을 인터뷰한 기사보다 생생하게 쓰기는 어렵다. 인터뷰에는 그의 목소리가 담겨 있고, 웃음, 침묵, 제스처까지 드러나기 때문이다. 말을 글로 옮겼으니 생생할 수밖에 없다.

마지막으로 독자에게 하고 싶은 말이 있다면?

사회는 인간이 에너지를 절약하는 방향으로 발전한다. 로봇 청소기가 사람 대신 청소하고, 식기 세척기가 사람 대신 설거지하고, 세탁기와 건조기가 사람 대신 빨래한다. 많은 사람이 육체적 노동을 대신하는 기기를 이용하면서 그렇게 절약한 에너지를 어디에 쓸지는 생각하지 않는다. 따로 운동하지 않는 사람은 결국 뼈가 약해지고 근육이 빠진다.

정신적 노동이라고 다르지 않다. 구글과 아이폰이 생기면서 생각을 아웃소싱하는 사람이 늘었다. 사람 대신 생각하고 추론해 해결책을 제시하는 AI까지 나왔다. 많은 사람이 정신적 노동을 대신하는 기술을 이용하면서 그렇게 절약한 에너지를 어디에 쓸지는 생각하지 않는다. 생각하지 않는 사람은 결국 깊이 사고하는 능력을 잃는다. 독자 여러분이 쓰는 사람으로 남아 주기를 바란다.

북저널리즘은 2017년 서울에서 출판물로 시작해 디지털,
멤버십, 커뮤니티, 오프라인으로 미디어 경험을 확장하고
있습니다. 북저널리즘은 책처럼 깊이 있게, 뉴스처럼 빠르게
우리가 지금, 깊이 읽어야 할 주제를 다룹니다. 단순한
사실 전달을 넘어 새로운 관점과 해석을 제시하고 사유의
운동을 촉진합니다. QR 코드를 통해 북저널리즘 멤버십에
가입하면 북저널리즘이 발행하는 모든 콘텐츠를 이용할 수
있습니다. 동시에 지적이고 지속 가능한 저널리즘을 지지하는
방법입니다.

《비케이제이엔 매거진》은 북저널리즘이 만드는 종이 뉴스 잡지입니다. 《비케이제이엔 매거진》 30호는 2025년 4월 10일 발행됐습니다. 이 책의 발행처는 주식회사 스리체어스입니다. 주소는 서울시 종로구 효자로 15 2층, 이메일은 hello@bookjournalism.com, 웹사이트는 bookjournalism.com입니다. 이 책에 수록된 글과 그림을 이용하려면 스리체어스의 동의를 받아야 합니다.